Friedrich Schiller
Kabale und Liebe

Ein bürgerliches Trauerspiel

Anmerkungen
von Walter Schafarschik

Philipp Reclam jun. Stuttgart

Der Text folgt: Friedrich Schiller. Sämtliche Werke. Säkular-Ausgabe in sechzehn Bänden. Dritter Band. Herausgegeben von Erich Schmidt. Stuttgart/Berlin: Cotta, [1905]. – Die Orthographie wurde behutsam dem heutigen Gebrauch angeglichen.

Erläuterungen und Dokumente zu Schillers *Kabale und Liebe* liegen unter Nr. 8149 in Reclams Universal-Bibliothek vor.

Universal-Bibliothek Nr. 33
Alle Rechte vorbehalten
© 1969, 1993 Philipp Reclam jun. GmbH & Co., Stuttgart
Um Anmerkungen ergänzte Ausgabe 1993
Umschlagabbildung: Illustration der Schlußszene von J. H. Ramberg
Gesamtherstellung: Reclam, Ditzingen. Printed in Germany 1995
RECLAM und UNIVERSAL-BIBLIOTHEK sind eingetragene
Warenzeichen der Philipp Reclam jun. GmbH & Co., Stuttgart
ISBN 3-15-000033-5

PERSONEN

Präsident von Walter, *am Hof eines deutschen Fürsten*

Ferdinand, *sein Sohn, Major*

Hofmarschall von Kalb

Lady Milford, *Favoritin des Fürsten*

Wurm, *Haussekretär des Präsidenten*

Miller, *Stadtmusikant oder, wie man sie an einigen Orten nennt, Kunstpfeifer*

Dessen Frau

Luise, *dessen Tochter*

Sophie, *Kammerjungfer der Lady*

Ein Kammerdiener des Fürsten

Verschiedene Nebenpersonen

ERSTER AKT

Zimmer beim Musikus.

Miller steht eben vom Sessel auf und stellt seine Violoncell
5 *auf die Seite. An einem Tisch sitzt Frau Millerin noch im*
Nachtgewand und trinkt ihren Kaffee.

M i l l e r *(schnell auf und ab gehend).* Einmal für allemal.
Der Handel wird ernsthaft. Meine Tochter kommt mit
dem Baron ins Geschrei. Mein Haus wird verrufen. Der
10 Präsident bekommt Wind, und – kurz und gut, ich biete
dem Junker aus.

F r a u. Du hast ihn nicht in dein Haus geschwatzt – hast
ihm deine Tochter nicht nachgeworfen.

M i l l e r. Hab ihn nicht in mein Haus geschwatzt – hab
15 ihm 's Mädel nicht nachgeworfen; wer nimmt Notiz davon? – Ich war Herr im Haus. Ich hätt' meine Tochter
mehr koram nehmen sollen. Ich hätt' dem Major besser
auftrumpfen sollen – oder hätt' gleich alles Seiner Exzellenz, dem Herrn Papa, stecken sollen. Der junge Baron
20 bringt's mit einem Wischer hinaus, das muß ich wissen,
und alles Wetter kommt über den Geiger.

F r a u *(schlürft eine Tasse aus).* Possen! Geschwatz! Was
kann über dich kommen? Wer kann dir was anhaben? Du
gehst deiner Profession nach und raffst Scholaren zusam-
25 · men, wo sie zu kriegen sind.

M i l l e r. Aber, sag mir doch, was wird bei dem ganzen
Kommerz auch herauskommen? – Nehmen kann er das
Mädel nicht – Vom Nehmen ist gar die Rede nicht, und zu
einer – daß Gott erbarm'? – Guten Morgen! – Gelt, wenn
30 so ein Musje *von* sich da und dort, und dort und hier
schon herumbeholfen hat, wenn er, der Henker weiß, was
als? gelöst hat, schmeckt's meinem guten Schlucker freilich, einmal auf süß Wasser zu graben. Gib du acht! gib

du acht! und wenn du aus jedem Astloch ein Auge streck-
test und vor jedem Blutstropfen Schildwache ständest, er
wird sie, dir auf der Nase, beschwatzen, dem Mädel eins
hinsetzen und führt sich ab, und das Mädel ist verschimpfiert auf ihr Leben lang, bleibt sitzen, oder hat 's Hand- 5
werk verschmeckt, treibt's fort. *(Die Faust vor die Stirn.)*
Jesus Christus!

F r a u. Gott behüt' uns in Gnaden!

M i l l e r. Es hat sich zu behüten. Worauf kann so ein
Windfuß wohl sonst sein Absehen richten? – Das Mädel 10
ist schön – schlank – führt seinen netten Fuß. Unterm
Dach mag's aussehen, wie's will. Darüber kuckt man bei
euch Weibsleuten weg, wenn's nur der liebe Gott parterre
nicht hat fehlen lassen – Stöbert mein Springinsfeld erst
noch dieses Kapitel aus – he da! geht ihm ein Licht auf, 15
wie meinem Rodney, wenn er die Witterung eines Fran-
zosen kriegt, und nun müssen alle Segel dran, und drauf-
los, und – ich verdenk's ihm gar nicht. Mensch ist Mensch.
Das muß ich wissen.

F r a u. Solltest nur die wunderhübsche Billetter auch lesen, 20
die der gnädige Herr an deine Tochter als schreiben tut.
Guter Gott! Da sieht man's ja sonnenklar, wie es ihm pur
um ihre schöne Seele zu tun ist.

M i l l e r. Das ist die rechte Höhe. Auf den Sack schlagt
man; den Esel meint man. Wer einen Gruß an das liebe 25
Fleisch zu bestellen hat, darf nur das gute Herz Boten
gehen lassen. Wie hab ich's gemacht? Hat man's nur erst
so weit im reinen, daß die Gemüter topp machen, wutsch!
nehmen die Körper ein Exempel; das Gesind' macht's der
Herrschaft nach, und der silberne Mond ist am End' nur 30
der Kuppler gewesen.

F r a u. Sieh doch nur erst die prächtigen Bücher an, die der
Herr Major ins Haus geschafft haben. Deine Tochter
betet auch immer draus.

M i l l e r *(pfeift)*. Hui da! Betet! Du hast den Witz davon. 35
Die rohe Kraftbrühen der Natur sind Ihro Gnaden zar-
tem Makronenmagen noch zu hart. – Er muß sie erst in
der höllischen Pestilenzküche der Bellatristen künstlich
aufkochen lassen. Ins Feuer mit dem Quark. Da saugt mir
das Mädel – weiß Gott, was als für? – überhimmlische 40

Alfanzereien ein, das läuft dann wie spanische Mucken
ins Blut und wirft mir die Handvoll Christentum noch
gar auseinander, die der Vater mit knapper Not soso noch
zusammenhielt. Ins Feuer, sag ich. Das Mädel setzt sich
5 alles Teufelszeug in den Kopf; über all dem Herum-
schwänzen in der Schlaraffenwelt findet's zuletzt seine
Heimat nicht mehr, vergißt, schämt sich, daß sein Vater
Miller der Geiger ist, und verschlägt mir am End' einen
wackern ehrbaren Schwiegersohn, der sich so warm in
10 meine Kundschaft hineingesetzt hätte – – Nein! Gott verdamm' mich! *(Er springt auf, hitzig.)* Gleich muß die
Pastete auf den Herd, und dem Major – ja ja dem Major
will ich weisen, wo Meister Zimmermann das Loch gemacht hat. *(Er will fort.)*
15 F r a u. Sei artig, Miller. Wie manchen schönen Groschen
haben uns nur die Präsenter – –
M i l l e r *(kommt zurück und bleibt vor ihr stehen).* Das
Blutgeld meiner Tochter? – Schier dich zum Satan, infame
Kupplerin! – Eh' will ich mit meiner Geig' auf den Bettel
20 herumziehen und das Konzert um was Warmes geben –
eh' will ich mein Violoncello zerschlagen und Mist im
Sonanzboden führen, eh' ich mir's schmecken laß von dem
Geld, das mein einziges Kind mit Seel' und Seligkeit ab-
verdient. – Stell den vermaledeiten Kaffee ein und das
25 Tobakschnupfen, so brauchst du deiner Tochter Gesicht
nicht zu Markt zu treiben. Ich hab mich satt gefressen und
immer ein gutes Hemd auf dem Leib gehabt, eh' so ein
vertrackter Tausendsasa in meine Stube geschmeckt hat.
F r a u. Nur nicht gleich mit der Tür ins Haus. Wie du doch
30 den Augenblick in Feuer und Flammen stehst! Ich sprech
ja nur, man müss' den Herrn Major nicht disguschtüren,
weil Sie des Präsidenten Sohn sind.
M i l l e r. Da liegt der Has' im Pfeffer. Darum, just eben-
darum muß die Sach' noch heut auseinander. Der Präsi-
35 dent muß es mir Dank wissen, wenn er ein rechtschaffener
Vater ist. Du wirst mir meinen roten plüschenen Rock
ausbürsten, und ich werde mich bei Seiner Exzellenz an-
melden lassen. Ich werde sprechen zu Seiner Exzellenz:
Dero Herr Sohn haben ein Aug' auf meine Tochter; meine
40 Tochter ist zu schlecht zu Dero Herrn Sohnes Frau, aber

zu Dero Herrn Sohnes Hure ist meine Tochter zu kostbar,
und damit basta! – Ich heiße *Miller*.

ZWEITE SZENE

Sekretär Wurm. Die Vorigen.

F r a u. Ah guten Morgen, Herr Sekertare. Hat man auch   5
einmal wieder das Vergnügen von Ihnen?
W u r m. Meinerseits, meinerseits, Frau Base. Wo eine
Kavaliersgnade einspricht, kommt mein bürgerliches Ver-
gnügen in gar keine Rechnung.
F r a u. Was Sie nicht sagen, Herr Sekertare! Des Herrn   10
Majors von Walter hohe Gnaden machen uns wohl je und
je das Bläsier, doch verachten wir darum niemand.
M i l l e r *(verdrüßlich)*. Dem Herrn einen Sessel, Frau.
Wollen S' ablegen, Herr Landsmann?
W u r m *(legt Hut und Stock weg, setzt sich)*. Nun! Nun!   15
Und wie befindet sich denn meine Zukünftige – oder Ge-
wesene? – Ich will doch nicht hoffen – kriegt man sie nicht
zu sehen – Mamsell Luisen?
F r a u. Danken der Nachfrage, Herr Sekertare. Aber meine
Tochter ist doch gar nicht hochmütig.   20
M i l l e r *(ärgerlich, stößt sie mit dem Ellnbogen)*. Weib!
F r a u. Bedauern's nur, daß sie die Ehre nicht haben kann
vom Herrn Sekertare. Sie ist eben in die Mess', meine
Tochter.
W u r m. Das freut mich, freut mich. Ich werd einmal eine   25
fromme christliche Frau an ihr haben.
F r a u *(lächelt dumm-vornehm)*. Ja – aber, Herr Sekertare –
M i l l e r *(in sichtbarer Verlegenheit, kneipt sie in die
Ohren)*. Weib!
F r a u. Wenn Ihnen unser Haus sonst irgendwo dienen   30
kann – Mit allem Vergnügen, Herr Sekertare –
W u r m *(macht falsche Augen)*. Sonst irgendwo! Schönen
Dank! Schönen Dank! – Hem! hem! hem!
F r a u. Aber – wie der Herr Sekertare selber die Einsicht
werden haben –   35
M i l l e r *(voll Zorn seine Frau vor den Hintern stoßend)*.
Weib!

F r a u. Gut ist gut, und besser ist besser, und einem einzigen Kind mag man doch auch nicht vor seinem Glück sein. *(Bäurisch-stolz.)* Sie werden mich je doch wohl merken, Herr Sekertare?

5 W u r m *(rückt unruhig im Sessel, kratzt hinter den Ohren und zupft an Manschetten und Jabot).* Merken? Nicht doch – O ja – Wie meinen Sie denn?

F r a u. Nu – Nu – ich dächte nur – ich meine, *(hustet)* weil eben halt der liebe Gott meine Tochter barrdu zur gnädi-
10 gen Madam will haben –

W u r m *(fährt vom Stuhl).* Was sagen Sie da? Was?

M i l l e r. Bleiben sitzen! Bleiben sitzen, Herr Sekretarius. Das Weib ist eine alberne Gans. Wo soll eine gnädige Madam herkommen? Was für ein Esel streckt sein Lang-
15 ohr aus diesem Geschwätze?

F r a u. Schmäl du, solang du willst. Was ich weiß, weiß ich – und was der Herr Major gesagt hat, das hat er gesagt.

M i l l e r *(aufgebracht, springt nach der Geige).* Willst du dein Maul halten? Willst das Violoncello am Hirn-
20 kasten wissen? – Was kannst du wissen? Was kann er gesagt haben? – Kehren sich an das Geklatsch nicht, Herr Vetter – Marsch du, in deine Küche! – Werden mich doch nicht für des Dummkopfs leiblichen Schwager halten, daß ich obenaus woll' mit dem Mädel? Werden doch das nicht
25 von mir denken, Herr Sekretarius?

W u r m. Auch hab ich es nicht um Sie verdient, Herr Musikmeister. Sie haben mich jederzeit den Mann von Wort sehen lassen, und meine Ansprüche auf Ihre Tochter waren so gut als unterschrieben. Ich habe ein Amt, das
30 seinen guten Haushälter nähren kann; der Präsident ist mir gewogen; an Empfehlungen kann's nicht fehlen, wenn ich mich höher poussieren will. Sie sehen, daß meine Absichten auf Mamsell Luisen ernsthaft sind, wenn sie vielleicht von einem adeligen Windbeutel herumgeholt – –
35 F r a u. Herr Sekertare Wurm! Mehr Respekt, wenn man bitten darf –

M i l l e r. Halt du dein Maul, sag ich – Lassen Sie es gut sein, Herr Vetter. Es bleibt beim alten. Was ich Ihnen verwichenen Herbst zum Bescheid gab, bring ich heut wieder.
40 Ich zwinge meine Tochter nicht. Stehen Sie ihr an – wohl

und gut, so mag sie zusehen, wie sie glücklich mit Ihnen
wird. Schüttelt sie den Kopf – noch besser – – in Gottes
Namen wollt' ich sagen – so stecken Sie den Korb ein und
trinken eine Bouteille mit dem Vater – Das Mädel muß
mit Ihnen leben – ich nicht – warum soll ich ihr einen   5
Mann, den sie nicht schmecken kann, aus purem klarem
Eigensinn an den Hals werfen? – Daß mich der böse
Feind in meinen eisgrauen Tagen noch wie sein Wildbret
herumhetze – daß ich's in jedem Glas Wein zu saufen – in
jeder Suppe zu fressen kriege: Du bist der Spitzbube, der   10
sein Kind ruiniert hat!

F r a u. Und kurz und gut – ich geb meinen Konsens absolut
nicht; meine Tochter ist zu was Hohem gemünzt, und ich
lauf in die Gerichte, wenn mein Mann sich beschwatzen
läßt.   15

M i l l e r. Willst du Arm und Bein entzwei haben, Wettermaul?

W u r m (zu Millern). Ein väterlicher Rat vermag bei der
Tochter viel, und hoffentlich werden Sie mich kennen,
Herr Miller?   20

M i l l e r. Daß dich alle Hagel! 's Mädel muß Sie kennen.
Was ich alter Knasterbart an Ihnen abkucke, ist just kein
Fressen fürs junge naschhafte Mädel. Ich will Ihnen aufs
Haar hin sagen, ob Sie ein Mann fürs Orchester sind –
aber eine Weiberseel' ist auch für einen Kapellmeister zu   25
spitzig. – Und dann von der Brust weg, Herr Vetter – ich
bin halt ein plumper gerader teutscher Kerl – für meinen
Rat würden Sie sich zuletzt wenig bedanken. Ich rate
meiner Tochter zu keinem – aber Sie mißrat ich meiner
Tochter, Herr Sekretarius. Lassen mich ausreden. Einem   30
Liebhaber, der den Vater zu Hilfe ruft, trau ich – erlauben Sie – keine hohle Haselnuß zu. Ist er was, so wird er
sich schämen, seine Talente durch diesen altmodischen
Kanal vor seine Liebste zu bringen – Hat er 's Courage
nicht, so ist er ein Hasenfuß, und für den sind keine   35
Luisen gewachsen – – Da! hinter dem Rücken des Vaters
muß er sein Gewerb an die Tochter bestellen. Machen
muß er, daß das Mädel lieber Vater und Mutter zum Teufel wünscht, als ihn fahrenläßt – oder selber kommt, dem
Vater zu Füßen sich wirft und sich um Gottes willen den   40

schwarzen gelben Tod oder den Herzeinzigen ausbittet –
Das nenn ich einen Kerl! Das heißt lieben! – und wer's
bei dem Weibsvolk nicht so weit bringt, der soll – – auf
seinem Gänsekiel reiten.

5 Wurm *(greift nach Hut und Stock und zum Zimmer hinaus).* Obligation, Herr Miller.

Miller *(geht ihm langsam nach).* Für was? Für was?
Haben Sie ja doch nichts genossen, Herr Sekretarius. *(Zurückkommend.)* Nichts hört er, und hin zieht er – – Ist
10 mir's doch wie Gift und Operment, wenn ich den Federn-
fuchser zu Gesichte krieg. Ein konfiszierter widriger Kerl,
als hätt' ihn irgendein Schleichhändler in die Welt meines
meines Herrgotts hineingeschachert – Die kleinen tückischen
Mausaugen – die Haare brandrot – das Kinn herausge-
15 quollen, gerade als wenn die Natur für purem Gift über
das verhunzte Stück Arbeit meinen Schlingel da angefaßt
und in irgendeine Ecke geworfen hätte – Nein! Eh' ich
meine Tochter an so einen Schuft wegwerfe, lieber soll sie
mir – Gott verzeih' mir's –

20 Frau *(spuckt aus, giftig).* Der Hund! – Aber man wird
dir 's Maul sauberhalten.

Miller. Du aber auch mit deinem pestilenzialischen Junker – Hast mich vorhin auch so in Harnisch gebracht –
Bist doch nie dummer, als wenn du um Gottes willen ge-
25 scheit sein solltest. Was hat das Geträtsch von einer gnä-
digen Madam und deiner Tochter da vorstellen sollen?
Das ist mir der Alte. Dem muß man so was an die Nase
heften, wenn's morgen am Marktbrunnen ausgeschellt sein
soll. Das ist just so ein Musje, wie sie in der Leute Häu-
30 sern herumriechen, über Keller und Koch räsonieren, und
springt einem ein nasenweises Wort übers Maul – Bumbs!
haben's Fürst und Matress' und Präsident, und du hast
das siedende Donnerwetter am Halse.

DRITTE SZENE

35 *Luise Millerin kommt, ein Buch in der Hand. Vorige.*

Luise *(legt das Buch nieder, geht zu Millern und drückt
ihm die Hand).* Guten Morgen, lieber Vater.

M i l l e r *(warm)*. Brav, meine Luise – Freut mich, daß du
so fleißig an deinen Schöpfer denkst. Bleib immer so, und
sein Arm wird dich halten.

L u i s e. O ich bin eine schwere Sünderin, Vater – War er
da, Mutter?   5

F r a u. Wer, mein Kind?

L u i s e. Ah! ich vergaß, daß es noch außer ihm Menschen
gibt – Mein Kopf ist so wüste – Er war nicht da? Walter?

M i l l e r *(traurig und ernsthaft)*. Ich dachte, meine Luise
hätte den Namen in der Kirche gelassen?   10

L u i s e *(nachdem sie ihn eine Zeitlang starr angesehen)*. Ich
versteh Ihn, Vater – fühle das Messer, das Er in mein Gewissen stößt; aber es kommt zu spät. – Ich hab keine An-
dacht mehr, Vater – der Himmel und Ferdinand reißen an
meiner blutenden Seele, und ich fürchte – ich fürchte –   15
(Nach einer Pause.) Doch nein, guter Vater. Wenn wir ihn
über dem Gemälde vernachlässigen, findet sich ja der
Künstler am feinsten gelobt. – Wenn meine Freude über
sein Meisterstück mich ihn selbst übersehen macht, Vater,
muß das Gott nicht ergötzen?   20

M i l l e r *(wirft sich unmutig in den Stuhl)*. Da haben wir's!
Das ist die Frucht von dem gottlosen Lesen.

L u i s e *(tritt unruhig an ein Fenster)*. Wo er wohl jetzt ist?
– Die vornehmen Fräulein, die ihn sehen – ihn hören – ich
bin ein schlechtes vergessenes Mädchen. *(Erschrickt an dem*   25
Wort und stürzt ihrem Vater zu.) Doch nein! nein! verzeih Er mir. Ich beweine mein Schicksal nicht. Ich will ja
nur wenig – an ihn denken – das kostet ja nichts. Dies
bißchen Leben – dürft' ich es hinhauchen in ein leises
schmeichelndes Lüftchen, sein Gesicht abzukühlen! – Dies   30
Blümchen Jugend – wär' es ein Veilchen, und *er* träte
drauf, und es dürfte bescheiden unter ihm sterben! – Damit genügte mir, Vater. Wenn die Mücke in ihren Strahlen
sich sonnt – kann sie das strafen, die stolze majestätische
Sonne?   35

M i l l e r *(beugt sich gerührt an die Lehne des Stuhls und*
bedeckt das Gesicht). Höre, Luise – Das bissel Bodensatz
meiner Jahre, ich gäb' es hin, hättest du den Major nie
gesehen.

L u i s e *(erschrocken)*. Was sagt Er da? Was? – Nein! er   40

meint es anders, der gute Vater. Er wird nicht wissen,
daß Ferdinand mein ist, mir geschaffen, mir zur Freude
vom Vater der Liebenden. *(Sie steht nachdenkend.)* Als
ich ihn das erstemal sah – *(rascher)* und mir das Blut in
5 die Wangen stieg, froher jagten alle Pulse, jede Wallung
sprach, jeder Atem lispelte: Er ist's! – und mein Herz den
Immermangelnden erkannte, bekräftigte: Er ist's! und
wie das widerklang durch die ganze mitfreuende Welt.
Damals – o damals ging in meiner Seele der erste Morgen
10 auf. Tausend junge Gefühle schossen aus meinem Herzen,
wie die Blumen aus dem Erdreich, wenn's Frühling wird.
Ich sah keine Welt mehr, und doch besinn ich mich, daß
sie niemals so schön war. Ich wußte von keinem Gott
mehr, und doch hatt' ich ihn nie so geliebt.
15 M i l l e r *(eilt auf sie zu, drückt sie wider seine Brust).*
Luise – teures – herrliches Kind – Nimm meinen alten
mürben Kopf – nimm alles – alles! – den Major – Gott
ist mein Zeuge – ich kann dir ihn nimmer geben. *(Er geht
ab.)*
20 L u i s e. Auch will ich ihn ja jetzt nicht, mein Vater. Dieser
karge Tautropfe Zeit – schon ein Traum von Ferdinand
trinkt ihn wollüstig auf. Ich entsag ihm für dieses Leben.
Dann, Mutter – dann, wenn die Schranken des Unter-
schieds einstürzen – wenn von uns abspringen all die ver-
25 haßte Hülsen des Standes – Menschen nur Menschen sind
– Ich bringe nichts mit mir als meine Unschuld, aber der
Vater hat ja so oft gesagt, daß der Schmuck und die prächtigen Titel wohlfeil werden, wenn Gott kommt, und die
Herzen im Preise steigen. Ich werde dann reich sein. Dort
30 rechnet man Tränen für Triumphe und schöne Gedanken
für Ahnen an. Ich werde dann vornehm sein, Mutter –
Was hätte er dann noch für seinem Mädchen voraus?
F r a u *(fährt in die Höhe).* Luise! Der Major! Er springt
über die Planke. Wo verberg ich mich doch?
35 L u i s e *(fängt an zu zittern).* Bleib Sie doch, Mutter.
F r a u. Mein Gott! Wie seh ich aus! Ich muß mich ja schämen. Ich darf mich nicht vor Seiner Gnaden so sehen lassen. *(Ab.)*

VIERTE SZENE

Ferdinand von Walter. Luise.

*(Er fliegt auf sie zu – sie sinkt entfärbt und matt auf einen
Sessel – er bleibt vor ihr stehn – sie sehen sich eine Zeitlang
stillschweigend an. Pause.)*   5

F e r d i n a n d. Du bist blaß, Luise?

L u i s e *(steht auf und fällt ihm um den Hals).* Es ist nichts.
Nichts. Du bist ja da. Es ist vorüber.

F e r d i n a n d *(ihre Hand nehmend und zum Munde füh-
rend).* Und liebt mich meine Luise noch? Mein Herz ist 10
das gestrige, ist's auch das deine noch? Ich fliege nur her,
will sehn, ob du heiter bist, und gehn und es auch sein –
Du bist's nicht.

L u i s e. Doch, doch, mein Geliebter.

F e r d i n a n d. Rede mir Wahrheit. Du bist's nicht. Ich 15
schaue durch deine Seele wie durch das klare Wasser dieses Brillanten. *(Er zeigt auf seinen Ring.)* Hier wirft sich
kein Bläschen auf, das ich nicht merkte – kein Gedanke
tritt in dies Angesicht, der mir entwischte. Was hast du?
Geschwind! Weiß ich nur diesen Spiegel helle, so läuft 20
keine Wolke über die Welt. Was bekümmert dich?

L u i s e *(sieht ihn eine Weile stumm und bedeutend an,
dann mit Wehmut).* Ferdinand! Ferdinand! Daß du doch
wüßtest, wie schön in dieser Sprache das bürgerliche Mädchen sich ausnimmt –   25

F e r d i n a n d. Was ist das? *(Befremdet.)* Mädchen! Höre!
Wie kommst du auf das? – Du bist meine Luise. Wer sagt
dir, daß du noch etwas sein solltest? Siehst du, Falsche,
auf welchem Kaltsinn ich dir begegnen muß? Wärest du
ganz nur Liebe für mich, wann hättest du Zeit gehabt, 30
eine Vergleichung zu machen? Wenn ich bei dir bin, zer-
schmilzt meine Vernunft in einen Blick – in einen Traum
von dir, wenn ich weg bin, und du hast noch eine Klugheit
neben deiner Liebe? – Schäme dich! Jeder Augenblick, den
du an diesen Kummer verlorst, war deinem Jüngling ge- 35
stohlen.

L u i s e *(faßt seine Hand, indem sie den Kopf schüttelt).*
Du willst mich einschläfern, Ferdinand – willst meine
Augen von diesem Abgrund hinweglocken, in den ich ganz

gewiß stürzen muß. Ich seh in die Zukunft – die Stimme
des Ruhms – deine Entwürfe – dein Vater – mein Nichts.
(Erschrickt und läßt plötzlich seine Hand fahren.) Ferdinand! ein Dolch über dir und mir! – Man trennt uns!

5 F e r d i n a n d. Trennt uns! *(Er springt auf.)* Woher bringst
du diese Ahndung, Luise? Trennt uns? – Wer kann den
Bund zwoer Herzen lösen oder die Töne eines Akkords
auseinanderreißen? – Ich bin ein Edelmann – Laß doch
sehen, ob mein Adelbrief älter ist als der Riß zum unend-
10 lichen Weltall? oder mein Wappen gültiger als die Handschrift des Himmels in Luisens Augen: Dieses Weib ist für
diesen Mann? – Ich bin des Präsidenten Sohn. Eben-
darum. Wer als die Liebe kann mir die Flüche versüßen,
die mir der Landeswucher meines Vaters vermachen wird?

15 L u i s e. O wie sehr fürcht ich ihn – diesen Vater!

F e r d i n a n d. Ich fürchte nichts – nichts – als die Grenzen
deiner Liebe. Laß auch Hindernisse wie Gebirge zwischen
uns treten, ich will sie für Treppen nehmen und drüber
hin in Luisens Arme fliegen. Die Stürme des widrigen
20 Schicksals sollen meine Empfindung emporblasen, *Gefah-
ren* werden meine Luise nur reizender machen. – Also
nichts mehr von Furcht, meine Liebe. Ich selbst – ich will
über dir wachen wie der Zauberdrach' über unterirdischem
Golde – *Mir* vertraue dich. Du brauchst keinen Engel
25 mehr – Ich will mich zwischen dich und das Schicksal werfen – empfangen für dich jede Wunde – auffassen für
dich jeden Tropfen aus dem Becher der Freude – dir ihn
bringen in der Schale der Liebe. *(Sie zärtlich umfassend.)*
An diesem Arm soll meine Luise durchs Leben hüpfen;
30 schöner, als er dich von sich ließ, soll der Himmel dich
wiederhaben und mit Verwunderung eingestehn, daß nur
die Liebe die letzte Hand an die Seelen legte –

L u i s e *(drückt ihn von sich, in großer Bewegung).* Nichts
mehr! Ich bitte dich, schweig! – Wüßtest du – Laß mich –
35 du weißt nicht, daß deine Hoffnungen mein Herz wie
Furien anfallen. *(Will fort.)*

F e r d i n a n d *(hält sie auf).* Luise? Wie! Was! Welche An-
wandlung?

L u i s e. Ich hatte diese Träume *vergessen* und war glück-
40 lich – Jetzt! Jetzt! Von *heut* an – der Friede meines Le-

bens ist aus – Wilde Wünsche – ich weiß es – werden in
meinem Busen rasen. – Geh – Gott vergebe dir's – Du
hast den Feuerbrand in mein junges friedsames Herz geworfen, und er wird nimmer, nimmer gelöscht werden.
(Sie stürzt hinaus. Er folgt ihr sprachlos nach.)   5

FÜNFTE SZENE

Saal beim Präsidenten.

*Der Präsident, ein Ordenskreuz um den Hals, einen Stern
an der Seite, und Sekretär Wurm treten auf.*

P r ä s i d e n t. Ein ernsthaftes Attachement! Mein Sohn? –   10
Nein, Wurm, das macht Er mich nimmermehr glauben.
W u r m. Ihro Exzellenz haben die Gnade, mir den Beweis
zu befehlen.
P r ä s i d e n t. Daß er der Bürgerkanaille den Hof macht
– Flatterien sagt – auch meinetwegen Empfindungen vor-   15
plaudert – das sind lauter Sachen, die ich möglich finde –
verzeihlich finde – aber – und noch gar die Tochter eines
Musikus, sagt Er?
W u r m. Musikmeister Millers Tochter.
P r ä s i d e n t. Hübsch? – Zwar das versteht sich.   20
W u r m *(lebhaft)*. Das schönste Exemplar einer Blondine,
die, nicht zuviel gesagt, neben den ersten Schönheiten des
Hofes noch Figur machen würde.
P r ä s i d e n t *(lacht)*. Er sagt mir, Wurm – Er habe ein
Aug' auf das Ding – das find ich. Aber sieht Er, mein   25
lieber Wurm – daß mein Sohn Gefühl für das Frauenzimmer hat, macht mir Hoffnung, daß ihn die Damen
nicht hassen werden. Er kann bei Hof etwas durchsetzen.
Das Mädchen ist *schön*, sagt Er; das gefällt mir an meinem Sohn, daß er *Geschmack* hat. Spiegelt er der Närrin   30
solide Absichten vor? Noch besser – so seh ich, daß er
Witz genug hat, in seinen Beutel zu lügen. Er kann *Präsident* werden. Setzt er es noch dazu durch? Herrlich! das
zeigt mir an, daß er *Glück* hat. – Schließt sich die Farce
mit einem gesunden Enkel – Unvergleichlich! so trink ich   35
auf die guten Aspekten meines Stammbaums eine Bouteille

Malaga mehr und bezahle die Skortationsstrafe für seine
Dirne.

W u r m. Alles, was ich wünsche, Ihr' Exzellenz, ist, daß Sie
nicht nötig haben möchten, diese Bouteille zu Ihrer *Zer-*
streuung zu trinken.

P r ä s i d e n t (*ernsthaft*). Wurm, besinn Er sich, daß ich,
wenn ich einmal glaube, hartnäckig glaube; rase, wenn ich
zürne – Ich will einen Spaß daraus machen, daß Er mich
aufhetzen wollte. Daß Er sich seinen Nebenbuhler gern
vom Hals geschafft hätte, glaub ich Ihm herzlich gern. Da
Er meinen Sohn bei dem *Mädchen* auszustechen Mühe
haben möchte, soll Ihm der *Vater* zur Fliegenklatsche dienen, das find ich wieder begreiflich – und daß Er einen so
herrlichen Ansatz zum Schelmen hat, entzückt mich sogar
– Nur, mein lieber Wurm, muß Er mich nicht mitprellen
wollen. – Nur, versteht Er mich, muß Er den Pfiff nicht
bis zum Einbruch in meine Grundsätze treiben.

W u r m. Ihro Exzellenz verzeihen. Wenn auch wirklich
– wie Sie argwohnen – die Eifersucht hier im Spiel sein
sollte, so wäre sie es wenigstens nur mit den Augen und
nicht mit der Zunge.

P r ä s i d e n t. Und ich dächte, sie bliebe ganz weg. Dummer Teufel, was verschlägt es denn Ihm, ob Er die Karolin frisch aus der Münze oder vom Bankier bekommt.
Tröst Er sich mit dem hiesigen Adel: – Wissentlich oder
nicht – bei uns wird selten eine Mariage geschlossen, wo
nicht wenigstens ein halb Dutzend der Gäste – oder der
Aufwärter – das Paradies des Bräutigams geometrisch ermessen kann.

W u r m (*verbeugt sich*). Ich mache hier gern den Bürgersmann, gnädiger Herr.

P r ä s i d e n t. Überdies kann Er mit nächstem die Freude
haben, seinem Nebenbuhler den Spott auf die schönste
Art heimzugeben. Eben jetzt liegt der Anschlag im Kabi-
nett, daß, auf die Ankunft der neuen Herzogin, Lady
Milford zum Schein den Abschied erhalten und, den Betrug vollkommen zu machen, eine Verbindung eingehen
soll. Er weiß, Wurm, wie sehr sich mein Ansehen auf den
Einfluß der Lady stützt – wie überhaupt meine mächtig-
sten Springfedern in die Wallungen des Fürsten hinein-

spielen. Der Herzog sucht eine Partie für die Milford. Ein
anderer kann sich melden – den Kauf schließen, mit der
Dame das Vertrauen des Fürsten anreißen, sich ihm unentbehrlich machen – Damit nun der Fürst im Netz meiner Familie bleibe, soll mein Ferdinand die Milford heu-   5
raten – – Ist Ihm das helle?

W u r m. Daß mich die Augen beißen – – Wenigstens bewies
der *Präsident* hier, daß der *Vater* nur ein *Anfänger* gegen
ihn ist. Wenn der Major Ihnen ebenso den *gehorsamen*
Sohn zeigt, als Sie ihm den *zärtlichen Vater,* so dörfte   10
Ihre Anforderung mit Protest zurückkommen.

P r ä s i d e n t. Zum Glück war mir noch nie für die Aus-
führung eines Entwurfes bang, wo ich mich mit einem:
Es soll so sein! einstellen konnte. – Aber seh Er nun,
Wurm, das hat uns wieder auf den vorigen Punkt gelei-   15
tet. Ich kündige meinem Sohn noch diesen Vormittag seine
Vermählung an. Das Gesicht, das er mir zeigen wird, soll
Seinen Argwohn entweder rechtfertigen oder ganz wider-
legen.

W u r m. Gnädiger Herr, ich bitte sehr um Vergebung. Das   20
finstre Gesicht, das er Ihnen ganz zuverlässig zeigt, läßt
sich ebensogut auf die Rechnung der Braut schreiben, die
Sie ihm zuführen, als derjenigen, die Sie ihm nehmen. Ich
ersuche Sie um eine schärfere Probe. Wählen Sie ihm die
untadeligste Partie im Land, und sagt er ja, so lassen Sie   25
den Sekretär Wurm drei Jahre Kugeln schleifen.

P r ä s i d e n t *(beißt die Lippen).* Teufel!

W u r m. Es ist nicht anders. Die Mutter – die Dummheit
selbst – hat mir in der Einfalt zu viel geplaudert.

P r ä s i d e n t *(geht auf und nieder, preßt seinen Zorn zu-*   30
rück). Gut! Diesen Morgen noch.

W u r m. Nur vergessen Euer Exzellenz nicht, daß der Major – der Sohn meines Herrn ist.

P r ä s i d e n t. *Er* soll geschont werden, Wurm.

W u r m. Und daß der Dienst, Ihnen von einer unwillkom-   35
menen Schwiegertochter zu helfen –

P r ä s i d e n t. Den Gegendienst wert ist, Ihm zu einer
Frau zu helfen? – Auch das, Wurm.

W u r m *(bückt sich vergnügt).* Ewig der Ihrige, gnädiger
Herr. *(Er will gehen.)*   40

P r ä s i d e n t. Was ich Ihm vorhin vertraut habe, Wurm –
  (drohend) Wenn Er plaudert –

W u r m *(lacht)*. So zeigen Ihr' Exzellenz meine falschen
  Handschriften auf. *(Er geht ab.)*

5 P r ä s i d e n t. Zwar du bist wir gewiß. Ich halte dich an
  deiner eigenen Schurkerei, wie den Schröter am Faden.

E i n K a m m e r d i e n e r *(tritt herein)*. Hofmarschall von
  Kalb –

P r ä s i d e n t. Kommt wie gerufen. – Er soll mir ange-
10 nehm sein.

(Kammerdiener geht.)

SECHSTE SZENE

Hofmarschall von Kalb in einem reichen, aber geschmack-
losen Hofkleid, mit Kammerherrnschlüsseln, zwei Uhren
15 *und einem Degen, Chapeaubas und frisiert à la Hérisson.*
Er fliegt mit großem Gekreisch auf den Präsidenten zu und
breitet einen Bisamgeruch über das ganze Parterre. Präsident.

H o f m a r s c h a l l *(ihn umarmend)*. Ah guten Morgen,
  mein Bester! Wie geruht? Wie geschlafen? – Sie verzeihen
20 doch, daß ich so spät das Vergnügen habe – dringende
  Geschäfte – der Küchenzettel – Visitenbillets – das Arran-
  gement der Partien auf die heutige Schlittenfahrt – Ah –
  und denn mußt' ich ja auch bei dem Lever zugegen sein
  und Seiner Durchleucht das Wetter verkündigen.

25 P r ä s i d e n t. Ja, Marschall. Da haben Sie freilich nicht
  abkommen können.

H o f m a r s c h a l l. Obendrein hat mich ein Schelm von
  Schneider noch sitzenlassen.

P r ä s i d e n t. Und doch fix und fertig?

30 H o f m a r s c h a l l. Das ist noch nicht alles. – Ein Malheur
  jagt heut das andere. Hören Sie nur.

P r ä s i d e n t *(zerstreut)*. Ist das möglich?

H o f m a r s c h a l l. Hören Sie nur. Ich steige kaum aus
  dem Wagen, so werden die Hengste scheu, stampfen und
35 schlagen aus, daß mir – ich bitte Sie! – der Gassenkot
  über und über an die Beinkleider spritzt. Was anzufan-
  gen? Setzen Sie sich um Gottes willen in meine Lage, Ba-

ron. Da stand ich. Spät war es. Eine Tagreise ist es – und
in dem Aufzug vor Seine Durchleucht! Gott der Ge-
rechte! – Was fällt mir bei? Ich fingiere eine Ohnmacht.
Man bringt mich über Hals und Kopf in die Kutsche. Ich
in voller Karriere nach Haus – wechsle die Kleider – fahre   5
zurück – Was sagen Sie? – und bin noch der erste in der
Antischamber – Was denken Sie? –

Präsident. Ein herrliches Impromptu des menschlichen
Witzes – Doch das beiseite, Kalb – Sie sprachen also schon
mit dem Herzog?   10

Hofmarschall (wichtig). Zwanzig Minuten und eine
halbe.

Präsident. Das gesteh ich! – und wissen mir also ohne
Zweifel eine wichtige Neuigkeit?

Hofmarschall (ernsthaft nach einigem Stillschweigen).   15
Seine Durchleucht haben heute einen Merde d'Oye-Biber
an.

Präsident. Man denke – Nein, Marschall, so hab ich
doch eine bessere Zeitung für Sie – daß Lady Milford
Majorin von Walter wird, ist Ihnen gewiß etwas Neues?   20

Hofmarschall. Denken Sie! – Und das ist schon richtig gemacht?

Präsident. Unterschrieben, Marschall – und Sie verbin-
den mich, wenn Sie ohne Aufschub dahingehen, die Lady
auf seinen Besuch präparieren und den Entschluß meines   25
Ferdinands in der ganzen Residenz bekanntmachen.

Hofmarschall (entzückt). O mit tausend Freuden,
mein Bester. – Was kann mir erwünschter kommen? – Ich
fliege sogleich – (Umarmt ihn.) Leben Sie wohl – In drei
Viertelstunden weiß es die ganze Stadt. (Hüpft hinaus.)   30

Präsident (lacht dem Marschall nach). Man sage noch,
daß diese Geschöpfe in der Welt zu nichts taugen – – Nun
muß ja mein Ferdinand wollen, oder die ganze Stadt hat
gelogen. (Klingelt – Wurm kommt.) Mein Sohn soll her-
einkommen.   35

(Wurm geht ab. Der Präsident auf und nieder, gedankenvoll.)

SIEBENTE SZENE

Ferdinand. Der Präsident. Wurm, welcher gleich abgeht.

F e r d i n a n d. Sie haben befohlen, gnädiger Herr Vater –
P r ä s i d e n t. Leider muß ich das, wenn ich meines Sohns
5 einmal froh werden will – Laß Er uns allein, Wurm! –
Ferdinand, ich beobachte dich schon eine Zeitlang und
finde die offene rasche Jugend nicht mehr, die mich sonst
so entzückt hat. Ein seltsamer Gram brütet auf deinem
Gesicht – Du fliehst mich – Du fliehst deine Zirkel –
10 Pfui! – *Deinen* Jahren verzeiht man zehn Ausschweifungen vor einer einzigen Grille. Überlaß diese mir, lieber
Sohn. Mich laß an deinem Glück arbeiten und denke auf
nichts, als in meine Entwürfe zu spielen. – Komm! Um-
arme mich, Ferdinand.
15 F e r d i n a n d. Sie sind heute sehr gnädig, mein Vater.
P r ä s i d e n t. Heute, du Schalk – und dieses Heute noch
mit der herben Grimasse? *(Ernsthaft.)* Ferdinand! – *Wem*
zulieb’ hab ich die gefährliche Bahn zum Herzen des Fürsten betreten? *Wem* zulieb’ bin ich auf ewig mit meinem
20 Gewissen und dem Himmel zerfallen? – Höre, Ferdinand
– (Ich spreche mit meinem Sohn) – *Wem* hab ich durch die
Hinwegräumung meines Vorgängers Platz gemacht – eine
Geschichte, die desto blutiger in mein Inwendiges schnei-
det, je sorgfältiger ich das Messer der Welt verberge.
25 Höre. Sage mir, Ferdinand: *Wem* tat ich dies alles?
F e r d i n a n d *(tritt mit Schrecken zurück).* Doch *mir* nicht,
mein Vater? Doch auf *mich* soll der blutige Widerschein
dieses Frevels nicht fallen? Beim allmächtigen Gott! Es ist
besser, gar nicht geboren sein, als dieser Missetat zur Aus-
30 rede dienen.
P r ä s i d e n t. Was war das? Was? Doch! ich will es dem
Romanenkopfe zugut’ halten. – Ferdinand – ich will mich
nicht erhitzen, vorlauter Knabe – Lohnst du mir *also* für
meine schlaflosen Nächte? *Also* für meine rastlose Sorge?
35 *Also* für den ewigen Skorpion meines Gewissens? – Auf
mich fällt die Last der Verantwortung – auf mich der
Fluch, der Donner des Richters – Du empfängst dein
Glück von der zweiten Hand – das Verbrechen klebt nicht
am Erbe.

Ferdinand *(streckt die rechte Hand gen Himmel).* Feierlich entsag ich hier einem Erbe, das mich nur an einen abscheulichen Vater erinnert.

Präsident. Höre, junger Mensch, bringe mich nicht auf. – Wenn es nach deinem Kopfe ginge, du kröchest dein 5 Leben lang im Staube.

Ferdinand. Oh, immer noch besser, Vater, als ich kröch' um den Thron herum.

Präsident *(verbeißt seinen Zorn).* Hum! – Zwingen muß man dich, dein Glück zu erkennen. Wo zehn andre 10 mit aller Anstrengung nicht hinaufklimmen, wirst du spielend, im Schlafe gehoben. Du bist im zwölften Jahre Fähndrich. Im zwanzigsten Major. Ich hab es durchgesetzt beim Fürsten. Du wirst die Uniform ausziehen und in das Ministerium eintreten. Der Fürst sprach vom Geheimen 15 Rat – Gesandtschaften – außerordentlichen Gnaden. Eine herrliche Aussicht dehnt sich vor dir. – Die ebene Straße zunächst nach dem Throne – zum Throne selbst, wenn anders die Gewalt soviel wert ist als ihre Zeichen – das begeistert dich nicht? 20

Ferdinand. Weil meine Begriffe von Größe und Glück nicht ganz die Ihrigen sind – *Ihre* Glückseligkeit macht sich nur selten anders als durch Verderben bekannt. Neid, Furcht, Verwünschung sind die traurigen Spiegel, worin sich die Hoheit eines Herrschers belächelt. – Tränen, 25 Flüche, Verzweiflung die entsetzliche Mahlzeit, woran diese gepriesenen Glücklichen schwelgen, von der sie betrunken aufstehen und so in die Ewigkeit vor den Thron Gottes taumeln – Mein Ideal von Glück zieht sich genügsamer in mich selbst zurück. In meinem *Herzen* liegen alle 30 meine Wünsche begraben. –

Präsident. Meisterhaft! Unverbesserlich! Herrlich! Nach dreißig Jahren die erste Vorlesung wieder! – Schade nur, daß mein fünfzigjähriger Kopf zu zäh für das Lernen ist! – Doch – dies seltne Talent nicht einrosten zu lassen, 35 will ich dir jemand an die Seite geben, bei dem du dich in dieser buntscheckigen Tollheit nach Wunsch exerzieren kannst. – Du wirst dich entschließen – noch heute entschließen – eine Frau zu nehmen.

Ferdinand *(tritt bestürzt zurück).* Mein Vater?   40

P r ä s i d e n t. Ohne Komplimente – Ich habe der Lady
Milford in *deinem* Namen eine Karte geschickt. Du wirst
dich ohne Aufschub bequemen, dahin zu gehen und ihr zu
sagen, daß du ihr Bräutigam bist.

5 F e r d i n a n d. *Der Milford*, mein Vater?

P r ä s i d e n t. Wenn sie dir bekannt ist –

F e r d i n a n d *(außer Fassung)*. Welcher Schandsäule im
Herzogtum ist sie das nicht! – Aber ich bin wohl lächer-
lich, lieber Vater, daß ich Ihre Laune für Ernst aufnehme?

10 Würden Sie *Vater* zu dem *Schurken Sohne* sein wollen,
der eine privilegierte Buhlerin heuratete?

P r ä s i d e n t. Noch mehr. Ich würde selbst um sie werben, wenn sie einen Fünfziger möchte – Würdest du zu
dem *Schurken Vater* nicht *Sohn* sein wollen?

15 F e r d i n a n d. Nein! So wahr Gott lebt!

P r ä s i d e n t. Eine Frechheit, bei meiner Ehre! die ich ihrer
Seltenheit wegen vergebe –

F e r d i n a n d. Ich bitte Sie, Vater! lassen Sie mich nicht
länger in einer Vermutung, wo es mir unerträglich wird,

20 mich Ihren Sohn zu nennen.

P r ä s i d e n t. Junge, bist du toll? Welcher Mensch von
Vernunft würde nicht nach der Distinktion geizen, mit
seinem Landesherrn an einem dritten Orte zu wechseln?

F e r d i n a n d. Sie werden mir zum Rätsel, mein Vater.

25 *Distinktion* nennen Sie es – *Distinktion*, da mit dem Fürsten zu teilen, wo er auch unter den *Menschen* hinunterkriecht.

P r ä s i d e n t *(schlägt ein Gelächter auf)*.

F e r d i n a n d. Sie können lachen – und ich will über das

30 hinweggehen, Vater. Mit welchem Gesicht soll ich vor den
schlechtesten Handwerker treten, der mit seiner Frau wenigstens doch einen ganzen Körper zum Mitgift bekommt?
Mit welchem Gesicht vor die Welt? Vor die Fürsten? Mit
welchem vor die Buhlerin selbst, die den Brandflecken

35 ihrer Ehre in meiner Schande auswaschen würde?

P r ä s i d e n t. Wo in aller Welt bringst du das Maul her,
Junge?

F e r d i n a n d. Ich beschwöre Sie bei Himmel und Erde!
Vater, Sie können durch diese Hinwerfung Ihres einzigen

40 Sohnes so glücklich nicht werden, als Sie ihn unglücklich

machen. Ich gebe Ihnen mein Leben, wenn das Sie steigen
machen kann. Mein Leben hab ich von Ihnen; ich werde
keinen Augenblick anstehen, es ganz Ihrer Größe zu
opfern. – Meine *Ehre*, Vater – wenn Sie mir *diese* nehmen,
so war es ein leichtfertiges Schelmenstück, mir das Leben   5
zu geben, und ich muß den *Vater* wie den *Kuppler* verfluchen.

P r ä s i d e n t *(freundlich, indem er ihn auf die Achsel
klopft).* Brav, lieber Sohn, jetzt seh ich, daß du ein *ganzer*
Kerl bist und der besten Frau im Herzogtum würdig. –   10
Sie soll dir werden – Noch diesen Mittag wirst du dich
mit der Gräfin von Ostheim verloben.

F e r d i n a n d *(aufs neue betreten).* Ist diese Stunde be-
stimmt, mich ganz zu zerschmettern?

P r ä s i d e n t *(einen laurenden Blick auf ihn werfend).* Wo   15
doch hoffentlich deine Ehre nichts einwenden wird?

F e r d i n a n d. Nein, mein Vater. Friederike von Ostheim
könnte jeden andern zum Glücklichsten machen. *(Vor sich,
in höchster Verwirrung.)* Was seine *Bosheit* an meinem
Herzen noch ganz ließ, zerreißt seine *Güte.*   20

P r ä s i d e n t *(noch immer kein Aug' von ihm wendend).*
Ich warte auf deine Dankbarkeit, Ferdinand –

F e r d i n a n d *(stürzt auf ihn zu und küßt ihm feurig die
Hand).* Vater! Ihre Gnade entflammt meine ganze Empfindung – Vater! meinen heißesten Dank für Ihre herz-   25
liche Meinung – Ihre Wahl ist untadelhaft – aber – ich
kann – ich darf – Bedauern Sie mich – Ich kann die Gräfin nicht lieben.

P r ä s i d e n t *(tritt einen Schritt zurück).* Holla! Jetzt hab
ich den jungen Herrn. Also in diese Falle ging er, der   30
listige Heuchler – Also es war nicht die Ehre, die dir die
Lady verbot? – Es war nicht die *Person*, sondern die *Heurat*, die du verabscheutest?

F e r d i n a n d *(steht zuerst wie versteinert, dann fährt er
auf und will fortrennen).*   35

P r ä s i d e n t. Wohin? Halt! Ist das der Respekt, den du
mir schuldig bist? *(Der Major kehrt zurück.)* Du bist bei
der Lady gemeldet. Der Fürst hat mein Wort. Stadt und
Hof wissen es richtig. – Wenn du mich zum Lügner machst,
Junge – vor dem Fürsten – der Lady – der Stadt – dem   40

Hof mich zum Lügner machst – Höre, Junge – oder wenn
ich *hinter gewisse Historien komme!* – Halt! Holla! Was
bläst so auf einmal das Feuer in deinen Wangen aus?

F e r d i n a n d *(schneeblaß und zitternd).* Wie? Was? Es ist
gewiß nichts, mein Vater!

P r ä s i d e n t *(einen fürchterlichen Blick auf ihn heftend).*
Und *wenn* es was ist – und wenn ich die Spur finden
sollte, woher diese Widersetzlichkeit stammt? – – Ha,
Junge! der bloße Verdacht schon bringt mich zum Rasen.
Geh den Augenblick. Die Wachparade fängt an! Du wirst
bei der Lady sein, sobald die Parole gegeben ist – Wenn
ich auftrete, zittert ein Herzogtum. Laß doch sehen, ob
mich ein Starrkopf von Sohn meistert. *(Er geht und
kommt noch einmal wieder.)* Junge, ich sage dir, du wirst
dort sein, oder fliehe meinen Zorn. *(Er geht ab.)*

F e r d i n a n d *(erwacht aus einer dumpfen Betäubung).* Ist
er weg? War das eines Vaters Stimme? – Ja! ich will zu
ihr – will hin – will ihr Dinge sagen, will ihr einen Spiegel vorhalten – Nichtswürdige! und wenn du auch noch
dann meine Hand verlangst – Im Angesicht des versammelten Adels, des Militärs und des Volks – Umgürte dich
mit dem ganzen Stolz deines Englands – Ich verwerfe
dich – ein teutscher Jüngling! *(Er eilt hinaus.)*

ZWEITER AKT

*Ein Saal im Palais der Lady Milford; zur rechten Hand
steht ein Sofa, zur linken ein Flügel.*

ERSTE SZENE

*Lady, in einem freien, aber reizenden Negligé, die Haare
noch unfrisiert, sitzt vor dem Flügel und phantasiert;
Sophie, die Kammerjungfer, kommt von dem Fenster.*

S o p h i e. Die Offiziers gehen auseinander. Die Wachparade läßt aus – aber ich sehe noch keinen Walter.

L a d y *(sehr unruhig, indem sie aufsteht und einen Gang
durch den Saal macht)*. Ich weiß nicht, wie ich mich heute
finde, Sophie – Ich bin noch nie so gewesen – Also du
sahst ihn gar nicht? – Freilich wohl – Es wird ihm nicht
eilen – Wie ein Verbrechen liegt es auf meiner Brust –
Geh, Sophie – Man soll mir den wildesten Renner heraus-
führen, der im Marstall ist. Ich muß ins Freie – Menschen
sehen und blauen Himmel und mich leichter reiten ums
Herz herum.

S o p h i e. Wenn Sie sich unpäßlich fühlen, Mylady – be-
rufen Sie Assemblee hier zusammen. Lassen Sie den Herzog hier Tafel halten, oder die l'Hombre-Tische vor
Ihren Sofa setzen. Mir sollte der Fürst und sein ganzer
Hof zu Gebote stehn und eine Grille im Kopfe surren?

L a d y *(wirft sich in den Sofa)*. Ich bitte, verschone mich.
Ich gebe dir einen Demant für jede Stunde, wo ich sie mir
vom Hals schaffen kann. Soll ich meine Zimmer mit diesem Volk tapezieren? – Das sind schlechte erbärmliche
Menschen, die sich entsetzen, wenn mir ein warmes herzliches Wort entwischt, Mund und Nasen aufreißen, als
sähen sie einen Geist – Sklaven eines einzigen Marionet-
tendrahts, den ich leichter als mein Filet regiere. – Was
fang ich mit Leuten an, deren Seelen so gleich als ihre
Sackuhren gehen? Kann ich eine Freude dran finden, sie
was zu fragen, wenn ich voraus weiß, was sie mir antworten werden? Oder Worte mit ihnen wechseln, wenn

sie das Herz nicht haben, andrer Meinung als ich zu sein?
– Weg mit ihnen! Es ist verdrüßlich, ein Roß zu reiten,
das nicht auch in den Zügel beißt. *(Sie tritt zum Fenster.)*

S o p h i e. Aber den Fürsten werden Sie doch ausnehmen,
Lady? Den schönsten Mann – den feurigsten Liebhaber –
den witzigsten Kopf in seinem ganzen Lande!

L a d y *(kommt zurück).* Denn es ist *sein* Land – und nur
ein Fürstentum, Sophie, kann meinem Geschmack zur er-
träglichen Ausrede dienen – Du sagst, man beneide mich.
Armes Ding! Beklagen soll man mich vielmehr. Unter
allen, die an den Brüsten der Majestät trinken, kommt
die Favoritin am schlechtesten weg, weil sie allein dem
großen und reichen Mann auf dem Bettelstabe begegnet –
Wahr ist's, er kann mit dem Talisman seiner Größe jeden
Gelust meines Herzens, wie ein Feenschloß, aus der Erde
rufen. – Er setzt den Saft von zwei Indien auf die Tafel
– ruft Paradiese aus Wildnissen – läßt die Quellen seines
Landes in stolzen Bögen gen Himmel springen, oder das
Mark seiner Untertanen in einem Feuerwerk hinpuffen –
– Aber kann er auch seinem *Herzen* befehlen, gegen ein
großes feuriges Herz groß und *feurig* zu schlagen? Kann
er sein darbendes Gehirn auf ein einziges schönes Gefühl
exequieren? – Mein Herz hungert bei all dem Vollauf der
Sinne, und was helfen mich tausend beßre Empfindungen,
wo ich nur Wallungen löschen darf?

S o p h i e *(blickt sie verwundernd an).* Wie lang ist es denn
aber, daß ich Ihnen diene, Mylady?

L a d y. Weil du erst *heute* mit mir bekannt wirst? – Es ist
wahr, liebe Sophie – ich habe dem Fürsten meine Ehre
verkauft, aber mein Herz habe ich frei behalten – ein
Herz, meine Gute, das vielleicht eines Mannes noch wert
ist – über welches der giftige Wind des Hofes nur wie der
Hauch über den Spiegel ging – Trau es mir zu, meine
Liebe, daß ich es längst gegen diesen armseligen Fürsten
behauptet hätte, wenn ich es nur von meinem Ehrgeiz erhalten könnte, einer Dame am Hof den Rang vor mir
einzuräumen.

S o p h i e. Und dieses Herz unterwarf sich dem Ehrgeiz so
gern?

L a d y *(lebhaft).* Als wenn es sich nicht schon gerächt

hätte? – Nicht jetzt noch sich rächte? – Sophie! (*Bedeu-*
tend, indem sie die Hand auf Sophiens Achsel fallen
läßt.) Wir Frauenzimmer können nur zwischen *Herr-*
schen und *Dienen* wählen, aber die höchste Wonne der
Gewalt ist doch nur ein elender Behelf, wenn uns die   5
größere Wonne versagt wird, Sklavinnen eines Manns zu
sein, den wir lieben.

S o p h i e. Eine Wahrheit, Mylady, die ich von Ihnen *zu-*
letzt hören wollte!

L a d y. Und warum, meine Sophie? Sieht man es denn die-   10
ser kindischen Führung des *Zepters* nicht an, daß wir nur
für das *Gängelband* taugen? Sahst du es denn diesem lau-
nischen Flattersinn nicht an – diesen wilden Ergötzungen
nicht an, daß sie nur wildere Wünsche in meiner Brust
überlärmen sollten?   15

S o p h i e (*tritt erstaunt zurück*). Lady!

L a d y (*lebhafter*). Befriedige diese! Gib mir den Mann,
den ich jetzt denke – den ich anbete – sterben, Sophie,
oder *besitzen* muß. (*Schmelzend.*) Laß mich aus seinem
Mund es vernehmen, daß Tränen der Liebe schöner glän-   20
zen in unsern Augen als die Brillanten in unserm Haar,
(*feurig*) und ich werfe dem Fürsten sein Herz und sein
Fürstentum vor die Füße, fliehe mit diesem Mann, fliehe
in die entlegenste Wüste der Welt – –

S o p h i e (*blickt sie erschrocken an*). Himmel! was machen   25
Sie? Wie wird Ihnen, Lady?

L a d y (*bestürzt*). Du entfärbst dich? – Hab ich vielleicht
etwas zuviel gesagt? – O so laß mich deine Zunge mit
meinem Zutrauen binden – höre noch mehr – höre alles –

S o p h i e (*schaut sich ängstlich um*). Ich fürchte, Mylady –   30
ich fürchte – ich brauch es nicht mehr zu hören.

L a d y. Die Verbindung mit dem Major – Du und die
Welt stehen im Wahn, sie sei eine *Hofkabale* – Sophie –
erröte nicht – schäme dich meiner nicht – sie ist das Werk
– *meiner Liebe*.   35

S o p h i e. Bei Gott! Was mir ahndete!

L a d y. Sie ließen sich beschwatzen, Sophie – der schwache
Fürst – der hofschlaue Walter – der alberne Marschall –
Jeder von ihnen wird darauf schwören, daß diese Heurat
das unfehlbarste Mittel sei, mich dem Herzog zu retten,   40

unser Band um so fester zu knüpfen. – Ja! es auf ewig zu
trennen! auf ewig diese schändliche Ketten zu brechen! –
Belogene Lügner! Von einem schwachen Weib überlistet!
– Ihr selbst führt mir jetzt meinen Geliebten zu. Das war
5 es ja nur, was ich wollte – Hab ich ihn einmal – hab ich
ihn – o dann auf *immer* gute Nacht, abscheuliche Herrlichkeit –

ZWEITE SZENE

Ein alter Kammerdiener des Fürsten, der ein Schmuckkäst-
10 *chen trägt. Die Vorigen.*

K a m m e r d i e n e r. Seine Durchlaucht der Herzog emp-
fehlen sich Mylady zu Gnaden und schicken Ihnen diese
Brillanten zur Hochzeit. Sie kommen soeben erst aus
Venedig.

15 L a d y *(hat das Kästchen geöffnet und fährt erschrocken
zurück)*. Mensch! was bezahlt dein Herzog für diese
Steine?

K a m m e r d i e n e r *(mit finsterm Gesicht)*. Sie kosten ihn
keinen Heller.

20 L a d y. Was? Bist du rasend? *Nichts?* – und *(indem sie
einen Schritt von ihm wegtritt)* du wirfst mir ja einen
Blick zu, als wenn du mich durchbohren wolltest – *Nichts*
kosten ihn diese unermeßlich kostbaren Steine?

K a m m e r d i e n e r. Gestern sind siebentausend Lands-
25 kinder nach Amerika fort – Die zahlen alles.

L a d y *(setzt den Schmuck plötzlich nieder und geht rasch
durch den Saal, nach einer Pause zum Kammerdiener)*.
Mann, was ist dir? Ich glaube, du weinst?

K a m m e r d i e n e r *(wischt sich die Augen, mit schreck-
30 licher Stimme, alle Glieder zitternd)*. Edelsteine wie *diese*
da – Ich hab auch ein paar Söhne drunter.

L a d y *(wendet sich bebend weg, seine Hand fassend)*. Doch
keinen Gezwungenen?

K a m m e r d i e n e r *(lacht fürchterlich)*. O Gott – Nein –
35 lauter Freiwillige. Es traten wohl so etliche vorlaute
Bursch' vor die Front heraus und fragten den Obersten,
wie teuer der Fürst das Joch Menschen verkaufe? – aber

unser gnädigster Landesherr ließ alle Regimenter auf dem
Paradeplatz aufmarschieren und die Maulaffen nieder-
schießen. Wir hörten die Büchsen knallen, sahen ihr Ge-
hirn auf das Pflaster spritzen, und die ganze Armee
schrie: *Juchhe nach Amerika!* —   5
L a d y *(fällt mit Entsetzen in den Sofa).* Gott! Gott! —
Und ich hörte nichts? Und ich merkte nichts?
K a m m e r d i e n e r. Ja, gnädige Frau — warum mußtet
Ihr denn mit unserm Herrn gerad auf die Bärenhatz rei-
ten, als man den Lärmen zum Aufbruch schlug? — Die   10
Herrlichkeit hättet Ihr doch nicht versäumen sollen, wie
uns die gellenden Trommeln verkündigten, es ist Zeit,
und heulende Waisen dort einen lebendigen Vater ver-
folgten, und hier eine wütende Mutter lief, ihr saugendes
Kind an Bajonetten zu spießen, und wie man Bräutigam   15
und Braut mit Säbelhieben auseinanderriß und wir Grau-
bärte verzweiflungsvoll dastanden und den Burschen auch
zuletzt die Krücken noch nachwarfen in die Neue Welt —
Oh, und mitunter das polternde Wirbelschlagen, damit
der Allwissende uns nicht sollte beten hören —   20
L a d y *(steht auf, heftig bewegt).* Weg mit diesen Steinen
— sie blitzen Höllenflammen in mein Herz. *(Sanfter zum
Kammerdiener.)* Mäßige dich, armer alter Mann. Sie werden wiederkommen. Sie werden ihr Vaterland wieder-
sehen.   25
K a m m e r d i e n e r *(warm und voll).* Das weiß der Himmel! Das werden sie! — Noch am Stadttor drehten sie sich
um und schrieen: »Gott mit euch, Weib und Kinder — Es
leb' unser Landesvater — am Jüngsten Gericht sind wir
wieder da!« —   30
L a d y *(mit starkem Schritt auf und nieder gehend).* Abscheulich! Fürchterlich! — *Mich* beredete man, ich habe sie
alle getrocknet, die Tränen des Landes — Schrecklich,
schrecklich gehen mir die Augen auf — Geh du — Sag dei-
nem Herrn — Ich werd ihm persönlich danken! *(Kammer-*   35
*diener will gehen, sie wirft ihm ihre Goldbörse in den
Hut.)* Und das nimm, weil du mir Wahrheit sagtest —
K a m m e r d i e n e r *(wirft sie verächtlich auf den Tisch
zurück).* Legt's zu dem übrigen. *(Er geht ab.)*
L a d y *(sieht ihm erstaunt nach).* Sophie, spring ihm nach,   40

frag ihn um seinen Namen. Er soll seine Söhne wiederhaben. *(Sophie ab. Lady nachdenkend auf und nieder.*
Pause. Zu Sophien, die wiederkommt.) Ging nicht jüngst
ein Gerüchte, daß das Feuer eine Stadt an der Grenze ver-
5 wüstet und bei vierhundert Familien an den Bettelstab
gebracht habe? *(Sie klingelt.)*
S o p h i e. Wie kommen Sie auf das? Allerdings ist es so,
und die mehresten dieser Unglücklichen dienen jetzt ihren
Gläubigern als Sklaven, oder verderben in den Schachten
10 der fürstlichen Silbergbergwerke.
B e d i e n t e r *(kommt).* Was befehlen Mylady?
L a d y *(gibt ihm den Schmuck).* Daß das ohne Verzug in
die Landschaft gebracht werde! – Man soll es sogleich zu
Geld machen, befehl ich, und den Gewinst davon unter
15 die Vierhundert verteilen, die der Brand ruiniert hat.
S o p h i e. Mylady, bedenken Sie, daß Sie die höchste Ungnade wagen.
L a d y *(mit Größe).* Soll ich den Fluch seines Landes in
meinen Haaren tragen? *(Sie winkt dem Bedienten, dieser*
20 *geht.)* Oder willst du, daß ich unter dem schrecklichen
Geschirr solcher Tränen zu Boden sinke? – Geh, Sophie –
Es ist besser, falsche Juwelen im Haar und das Bewußt-
sein dieser Tat im Herzen zu haben.
S o p h i e. Aber Juwelen wie diese! Hätten Sie nicht Ihre
25 schlechtern nehmen können? Nein wahrlich, Mylady! Es
ist Ihnen nicht zu vergeben.
L a d y. Närrisches Mädchen! Dafür werden in *einem*
Augenblick mehr Brillanten und Perlen für mich fallen,
als zehen Könige in ihren Diademen getragen, und schö-
30 nere –
B e d i e n t e r *(kommt zurück).* Major von Walter –
S o p h i e *(springt auf die Lady zu).* Gott! Sie verblassen –
L a d y. Der erste Mann, der mir Schrecken macht – Sophie
– Ich sei unpäßlich, Eduard – Halt – Ist er aufgeräumt?
35 Lacht er? Was spricht er? O Sophie! Nicht wahr, ich sehe
häßlich aus?
S o p h i e. Ich bitte Sie, Lady –
B e d i e n t e r. Befehlen Sie, daß ich ihn abweise?
L a d y *(stotternd).* Er soll mir willkommen sein. *(Bedienter*
40 *hinaus.)* Sprich, Sophie – Was sag ich ihm? Wie empfang

ich ihn? – Ich werde stumm sein. – Er wird meiner
Schwäche spotten – Er wird – o was ahndet mir – Du ver-
lässest mich, Sophie? – Bleib – Doch nein! Gehe! – So
bleib doch.

(Der Major kommt durch das Vorzimmer.)   5
S o p h i e. Sammeln Sie sich. Er ist schon da.

DRITTE SZENE

Ferdinand von Walter. Die Vorigen.

F e r d i n a n d *(mit einer kurzen Verbeugung).* Wenn ich
Sie worin unterbreche, gnädige Frau –   10
L a d y *(unter merkbarem Herzklopfen).* In nichts, Herr
Major, das mir wichtiger wäre.
F e r d i n a n d. Ich komme auf Befehl meines Vaters –
L a d y. Ich bin seine Schuldnerin.
F e r d i n a n d. Und soll Ihnen *melden,* daß wir uns heu- 15
raten – So weit der Auftrag meines Vaters.
L a d y *(entfärbt sich und zittert).* Nicht Ihres eigenen Her-
zens?
F e r d i n a n d. Minister und Kuppler pflegen das niemals
zu fragen.   20
L a d y *(mit einer Beängstigung, daß ihr die Worte ver-
sagen).* Und Sie selbst hätten sonst nichts beizusetzen?
F e r d i n a n d *(mit einem Blick auf die Mamsell).* Noch
sehr viel, Mylady.
L a d y *(gibt Sophien einen Wink, diese entfernt sich).* Darf 25
ich Ihnen diesen Sofa anbieten?
F e r d i n a n d. Ich werde kurz sein, Mylady.
L a d y. Nun?
F e r d i n a n d. Ich bin ein Mann von Ehre.
L a d y. Den ich zu schätzen weiß.   30
F e r d i n a n d. Kavalier.
L a d y. Kein beßrer im Herzogtum.
F e r d i n a n d. Und Offizier.
L a d y *(schmeichelhaft).* Sie berühren hier Vorzüge, die
auch andere mit Ihnen gemein haben. Warum verschwei- 35
gen Sie größere, worin Sie *einzig* sind?
F e r d i n a n d *(frostig).* Hier brauch ich sie nicht.

L a d y *(mit immer steigender Angst).* Aber für was muß ich diesen Vorbericht nehmen?

F e r d i n a n d *(langsam und mit Nachdruck).* Für den Einwurf der Ehre, wenn Sie Lust haben sollten, meine Hand
5 zu erzwingen.

L a d y *(auffahrend).* Was ist das, Herr Major?

F e r d i n a n d *(gelassen).* Die Sprache meines Herzens – meines Wappens – und dieses Degens.

L a d y. Diesen Degen gab Ihnen der Fürst.

10 F e r d i n a n d. Der Staat gab mir ihn durch die Hand des Fürsten – mein Herz Gott – mein Wappen ein halbes Jahrtausend.

L a d y. Der Name des Herzogs –

F e r d i n a n d *(hitzig).* Kann der Herzog Gesetze der
15 Menschheit verdrehen, oder Handlungen münzen wie seine Dreier? – Er selbst ist nicht über die Ehre erhaben, aber er kann ihren Mund mit seinem Golde verstopfen. Er kann den Hermelin über seine Schande herwerfen. Ich bitte mir aus, davon nichts mehr, Mylady – Es ist nicht
20 mehr die Rede von weggeworfenen Aussichten und Ahnen – oder von dieser Degenquaste – oder von der Meinung der Welt. Ich bin bereit, dies alles mit Füßen zu treten, sobald Sie mich nur überzeugt haben werden, daß der *Preis* nicht *schlimmer* noch als das *Opfer* ist.

25 L a d y *(schmerzhaft von ihm weggehend).* Herr Major! *Das* hab ich nicht verdient.

F e r d i n a n d *(ergreift ihre Hand).* Vergeben Sie. Wir reden hier ohne Zeugen. Der Umstand, der Sie und mich – heute und nie mehr – zusammenführt, berechtigt mich,
30 zwingt mich, Ihnen mein geheimstes Gefühl nicht zurückzuhalten. – Es will mir nicht zu Kopfe, Mylady, daß eine Dame von so viel Schönheit und Geist – Eigenschaften, die ein Mann schätzen würde – sich an einen Fürsten sollte wegwerfen können, der nur das *Geschlecht* an ihr zu
35 bewundern gelernt hat, wenn sich diese Dame nicht *schämte*, vor einen Mann mit ihrem *Herzen* zu treten.

L a d y *(schaut ihm groß ins Gesicht).* Reden Sie ganz aus.

F e r d i n a n d. Sie nennen sich eine *Britin*. Erlauben Sie mir – ich kann es nicht glauben, daß *Sie* eine Britin sind.
40 Die freigeborene Tochter des freiesten Volks unter dem

Himmel – das auch zu stolz ist, *fremder Tugend* zu räuchern, – kann sich nimmermehr an *fremdes Laster* ver-
dingen. Es ist nicht möglich, daß *Sie* eine Britin sind, –
oder das Herz dieser Britin muß um so viel *kleiner* sein,
als größer und kühner Britanniens Adern schlagen.   5

L a d y. Sind Sie zu Ende?

F e r d i n a n d. Man könnte antworten, es ist weibliche
Eitelkeit – Leidenschaft – Temperament – Hang zum Vergnügen. Schon öfters überlebte Tugend die Ehre. Schon
manche, die mit Schande in diese Schranke trat, hat nach-   10
her die Welt durch edle Handlungen mit sich ausgesöhnt
und das häßliche Handwerk durch einen schönen Gebrauch geadelt – Aber woher denn jetzt diese ungeheure
Pressung des Landes, die vorher nie so gewesen? – Das
war im Namen des Herzogtums. – Ich bin zu Ende.   15

L a d y *(mit Sanftmut und Hoheit)*. Es ist das erstemal,
Walter, daß solche Reden an mich gewagt werden, und
Sie sind der einige Mensch, dem ich darauf antworte –
Daß Sie meine Hand verwerfen, darum schätz ich Sie.
Daß Sie mein Herz lästern, vergebe ich Ihnen. Daß es   20
Ihr Ernst ist, glaube ich Ihnen nicht. Wer sich heraus-
nimmt, Beleidigungen dieser Art einer Dame zu sagen, die
nicht mehr als eine Nacht braucht, ihn ganz zu verderben,
muß dieser Dame eine *große Seele* zutrauen, oder – von
Sinnen sein – Daß Sie den Ruin des Landes auf meine   25
Brust wälzen, vergebe Ihnen Gott der Allmächtige, der
Sie und mich und den Fürsten einst gegeneinanderstellt.
– Aber Sie haben die Engländerin in mir aufgefodert, und
auf Vorwürfe dieser Art muß mein Vaterland Antwort
haben.   30

F e r d i n a n d *(auf seinen Degen gestützt)*. Ich bin begierig.

L a d y. Hören Sie also, was ich, außer Ihnen, noch niemand
vertraute, noch jemals einem Menschen vertrauen will. –
Ich bin nicht die Abenteurerin, Walter, für die Sie mich
halten. Ich könnte großtun und sagen: Ich bin fürstlichen   35
Geblüts – aus des unglücklichen Thomas Norfolks Geschlechte, der für die schottische Maria ein Opfer war –
Mein Vater, des Königs oberster Kämmerer, wurde be-
züchtigt, in verrätrischem Vernehmen mit Frankreich zu
stehen, durch einen Spruch der Parlamente verdammt und   40

enthauptet. – Alle unsre Güter fielen der Krone zu. Wir
selbst wurden des Landes verwiesen. Meine Mutter starb
am Tage der Hinrichtung. Ich – ein vierzehenjähriges Mädchen – flohe nach Teutschland mit meiner Wärterin –
einem Kästchen Juwelen – und diesem Familienkreuz, das
meine sterbende Mutter mit ihrem letzten Segen mir in
den Busen steckte.

Ferdinand *(wird nachdenkend und heftet wärmere
Blicke auf die Lady).*

Lady *(fährt fort mit immer zunehmender Rührung).*
Krank – ohne Namen – ohne Schutz und Vermögen – eine
ausländische Waise, kam ich nach Hamburg. Ich hatte
nichts gelernt als das bißchen Französisch – ein wenig
Filet und den Flügel – desto besser verstund ich auf Gold
und Silber zu speisen, unter damastenen Decken zu schla-
fen, mit einem Wink zehen Bediente fliegen zu machen
und die Schmeicheleien der Großen Ihres Geschlechts auf-
zunehmen. – Sechs Jahre waren schon hingeweint. – Die
letzte Schmucknadel flog dahin – Meine Wärterin starb –
und jetzt führte mein Schicksal Ihren Herzog nach Hamburg. Ich spazierte damals an den Ufern der Elbe, sah in
den Strom und fing eben an, zu phantasieren, ob *dieses
Wasser* oder *mein Leiden* das *Tiefste* wäre? – Der Herzog
sah mich, verfolgte mich, fand meinen Aufenthalt – lag zu
meinen Füßen und schwur, daß er mich *liebe. (Sie hält in
großen Bewegungen inne, dann fährt sie fort mit weinen-
der Stimme.)* Alle Bilder meiner glücklichen Kindheit
wachten jetzt wieder mit verführendem Schimmer auf –
Schwarz wie das Grab graute mich eine trostlose Zukunft
an – Mein Herz brannte nach einem Herzen – Ich sank an
das seinige. *(Von ihm wegstürzend.)* Jetzt verdammen Sie
mich!

Ferdinand *(sehr bewegt, eilt ihr nach und hält sie zurück).* Lady! o Himmel! Was hör ich? Was tat ich? – –
Schrecklich enthüllt sich mein Frevel mir. Sie können mir
nicht mehr vergeben.

Lady *(kommt zurück und hat sich zu sammeln gesucht).*
Hören Sie weiter. Der Fürst überraschte zwar meine
wehrlose Jugend – aber das Blut der Norfolk empörte
sich in mir: Du, eine geborene Fürstin, Emilie, rief es, und

jetzt eines Fürsten Konkubine? – Stolz und Schicksal
kämpften in meiner Brust, als der Fürst mich hieherbrachte und auf einmal die schauderndste Szene vor meinen
Augen stand. – Die Wollust der Großen dieser Welt ist
die nimmer satte Hyäne, die sich mit Heißhunger Opfer   5
sucht. – Fürchterlich hatte sie schon in diesem Lande ge-
wütet – hatte Braut und Bräutigam zertrennt – hatte
selbst der Ehen göttliches Band zerrissen – – hier das stille
Glück einer Familie geschleift – dort ein junges unerfahr-
nes Herz der verheerenden Pest aufgeschlossen, und ster-   10
bende Schülerinnen schäumten den Namen ihres Lehrers
unter Flüchen und Zuckungen aus – Ich stellte mich zwischen das Lamm und den Tiger, nahm einen fürstlichen
Eid von ihm in einer Stunde der Leidenschaft, und diese
abscheuliche Opferung mußte aufhören.   15
F e r d i n a n d *(rennt in der heftigsten Unruhe durch den
Saal).* Nichts mehr, Mylady! Nicht weiter!
L a d y. Diese traurige Periode hatte einer noch traurigern
Platz gemacht. Hof und Serail wimmelten jetzt von Italiens Auswurf. Flatterhafte Pariserinnen tändelten mit   20
dem furchtbaren Zepter, und das Volk blutete unter ihren
Launen – Sie alle erlebten ihren Tag. *Ich* sah sie neben
mir in den Staub sinken, denn ich war mehr Kokette als
sie alle. Ich nahm dem Tyrannen den Zügel ab, der wollüstig in meiner Umarmung erschlappte – dein Vaterland, 25
Walter, fühlte zum erstenmal eine Menschenhand und sank
vertrauend an meinen Busen. *(Pause, worin sie ihn
schmelzend ansieht.)* O daß der Mann, von dem ich allein
nicht verkannt sein möchte, mich jetzt zwingen muß, groß
zu prahlen und meine stille Tugend am Licht der Bewun-   30
derung zu versengen! – Walter, ich habe Kerker ge-
sprengt – habe Todesurteile zerrissen und manche entsetzliche Ewigkeit auf Galeeren verkürzt. In unheilbare
Wunden hab ich doch wenigstens stillenden Balsam gegos-
sen – mächtige Frevler in Staub gelegt und die *verlorne* 35
Sache der Unschuld oft noch mit einer buhlerischen Träne
gerettet – Ha, Jüngling! wie süß war mir das! Wie stolz
konnte mein Herz jede Anklage meiner fürstlichen Geburt
widerlegen! – Und jetzt kommt der Mann, der *allein* mir
das alles belohnen sollte – der Mann, den mein erschöpftes 40

Schicksal vielleicht zum Ersatz meiner vorigen Leiden
schuf – der Mann, den ich mit brennender Sehnsucht im
Traum schon umfasse –

Ferdinand *(fällt ihr ins Wort, durch und durch er-*
5 *schüttert).* Zuviel! Zuviel! Das ist wider die Abrede,
Lady. Sie sollten sich von Anklagen reinigen und machen
mich zu einem Verbrecher. Schonen Sie – ich beschwöre
Sie – schonen Sie meines Herzens, das Beschämung und
wütende Reue zerreißen –

10 Lady *(hält seine Hand fest).* Jetzt oder nimmermehr.
Lange genug hielt die Heldin stand – Das Gewicht dieser
Tränen mußt du noch fühlen. *(Im zärtlichsten Ton.)* Höre,
Walter – wenn eine Unglückliche – unwiderstehlich all-
mächtig an dich gezogen – sich an dich preßt mit einem
15 Busen voll glühender unerschöpflicher Liebe – Walter –
und du jetzt noch das kalte Wort Ehre sprichst – Wenn
diese Unglückliche – niedergedrückt vom Gefühl ihrer
Schande – des Lasters überdrüssig – heldenmäßig empor-
gehoben vom Rufe der Tugend – sich *so* – in deine Arme
20 wirft *(sie umfaßt ihn, beschwörend und feierlich)* – durch
dich gerettet – durch *dich* dem Himmel wiedergeschenkt
sein will, oder *(das Gesicht von ihm abgewandt, mit hoh-
ler bebender Stimme)* deinem Bild zu entfliehen, dem
fürchterlichen Ruf der Verzweiflung gehorsam, in noch
25 abscheulichere Tiefen des Lasters wieder hinuntertaumelt –

Ferdinand *(von ihr losreißend, in der schrecklichsten
Bedrängnis).* Nein, beim großen Gott! Ich kann das nicht
aushalten – Lady, ich muß – Himmel und Erde liegen auf
mir – ich muß Ihnen ein Geständnis tun, Lady.

30 Lady *(von ihm wegfliehend).* Jetzt nicht! Jetzt nicht, bei
allem, was heilig ist – In diesem entsetzlichen Augenblick
nicht, wo mein zerrissenes Herz an tausend Dolchstichen
blutet – Sei's Tod oder Leben – ich darf es nicht – ich
will es nicht hören.

35 Ferdinand. Doch, doch, beste Lady. Sie müssen es. Was
ich Ihnen jetzt sagen werde, wird meine Strafbarkeit mindern und eine warme Abbitte des Vergangenen sein – Ich
habe mich in Ihnen betrogen, Mylady. Ich erwartete – ich
wünschte, Sie meiner Verachtung würdig zu finden. Fest
40 entschlossen, Sie zu beleidigen und Ihren Haß zu verdie-

nen, kam ich her – Glücklich wir beide, wenn mein Vor-
satz gelungen wäre! *(Er schweigt eine Weile, darauf leiser
und schüchterner.)* Ich *liebe*, Mylady – liebe ein *bürgerliches* Mädchen – Luisen Millerin, eines Musikus Tochter.
(Lady wendet sich bleich von ihm weg, er fährt lebhafter 5
fort.) Ich weiß, worein ich mich stürze; aber wenn auch
Klugheit die *Leidenschaft* schweigen heißt, so redet die
Pflicht desto lauter – Ich bin der Schuldige. *Ich zuerst* zerriß ihrer Unschuld goldenen Frieden – wiegte ihr Herz
mit vermessenen Hoffnungen und gab es verräterisch der 10
wilden Leidenschaft preis. – Sie werden mich an Stand –
an Geburt – an die Grundsätze meines Vaters erinnern –
aber ich liebe – Meine Hoffnung steigt um so höher, je
tiefer die Natur mit Konvenienzen zerfallen ist. – Mein
Entschluß und das Vorurteil! – Wir wollen sehen, ob die 15
Mode oder die *Menschheit* auf dem Platz bleiben wird.
*(Lady hat sich unterdes bis an das äußerste Ende des Zim-
mers zurückgezogen und hält das Gesicht mit beiden Händen bedeckt. Er folgt ihr dahin.)* Sie wollten mir etwas
sagen, Mylady?   20
L a d y *(im Ausdruck des heftigsten Leidens).* Nichts, Herr
von Walter! Nichts, als daß Sie *sich* und *mich* und *noch
eine Dritte* zugrund' richten.
F e r d i n a n d. Noch eine Dritte?
L a d y. Wir können miteinander *nicht* glücklich werden. 25
Wir müssen doch der Voreiligkeit Ihres Vaters zum Opfer
werden. Nimmermehr werd ich das Herz eines Mannes
haben, der mir seine Hand nur gezwungen gab.
F e r d i n a n d. Gezwungen, Lady? Gezwungen gab? und
also doch gab? Können *Sie* eine Hand ohne Herz erzwin- 30
gen? *Sie* einem Mädchen den Mann entwenden, der die
ganze Welt dieses Mädchens ist? *Sie* einen Mann von dem
Mädchen reißen, das die ganze Welt dieses Mannes ist?
Sie, Mylady – vor einem Augenblick die *bewundernswür-
dige Britin*? – *Sie* können das?   35
L a d y. Weil ich es *muß. (Mit Ernst und Stärke.)* Meine
Leidenschaft, Walter, weicht meiner Zärtlichkeit für Sie.
Meine *Ehre* kann's nicht mehr – Unsre Verbindung ist
das Gespräch des ganzen Landes. Alle Augen, alle Pfeile
des Spotts sind auf mich gespannt. Die Beschimpfung ist 40

unauslöschlich, wenn ein Untertan des Fürsten mich aus-
schlägt. Rechten Sie mit Ihrem Vater. Wehren Sie sich, so
gut Sie können. – Ich laß alle Minen sprengen.
(Sie geht schnell ab. Der Major bleibt in sprachloser Erstar-
rung stehn. Pause. Dann stürzt er fort durch die Flügeltüre.)

VIERTE SZENE

Zimmer beim Musikanten.

Miller, Frau Millerin, Luise treten auf.

M i l l e r *(hastig ins Zimmer).* Ich hab's ja zuvor gesagt!
L u i s e *(sprengt ihn ängstlich an).* Was, Vater, was?
M i l l e r *(rennt wie toll auf und nieder).* Meinen Staatsrock
her – hurtig – ich muß ihm zuvorkommen – und ein wei-
ßes Manschettenhemd! – Das hab ich mir gleich eingebildet!
L u i s e. Um Gottes willen! Was?
M i l l e r i n. Was gibt's denn? Was ist's denn?
M i l l e r *(wirft seine Perücke ins Zimmer).* Nur gleich zum
Friseur das! – Was es gibt? *(Vor den Spiegel gesprungen.)*
Und mein Bart ist auch wieder fingerslang – Was es gibt?
– Was wird's geben, du Rabenaas? – Der Teufel ist los,
und dich soll das Wetter schlagen.
F r a u. Da sehe man! Über mich muß gleich alles kommen.
M i l l e r. Über dich? Ja, blaues Donnermaul, und über wen
anders? Heute früh mit deinem diabolischen Junker –
Hab ich's nicht im Moment gesagt? – Der Wurm hat ge-
plaudert.
F r a u. Ah was! Wie kannst du das wissen?
M i l l e r. Wie kann ich das wissen? – Da! – unter der Haus-
türe spukt ein Kerl des Ministers und fragt nach dem Geiger.
L u i s e. Ich bin des Todes.
M i l l e r. Du aber auch mit deinen Vergißmeinnichtsaugen!
(Lacht voll Bosheit.) Das hat seine Richtigkeit, wem der
Teufel ein Ei in die Wirtschaft gelegt hat, dem wird eine
hübsche Tochter geboren – Jetzt hab ich's blank!
F r a u. Woher weißt du denn, daß es der Luise gilt? – Du
kannst dem Herzog rekommendiert worden sein. Er kann
dich ins Orchester verlangen.
M i l l e r *(springt nach seinem Rohr).* Daß dich der Schwe-

felregen von Sodom! – Orchester! – Ja, wo du Kupplerin den Diskant wirst heulen und mein blauer Hinterer den Konterbaß vorstellen. *(Wirft sich in seinen Stuhl.)* Gott im Himmel!

L u i s e *(setzt sich totenbleich nieder).* Mutter! Vater! War- 5 um wird mir auf einmal so bange?

M i l l e r *(springt wieder vom Stuhl auf).* Aber soll mir der Dintenkleckser einmal in den Schuß laufen? – Soll er mir laufen? – Es sei in dieser oder in jener Welt – Wenn ich ihm nicht Leib und Seele breiweich zusammendresche, alle 10 zehen Gebote und alle sieben Bitten im Vaterunser und alle Bücher Mosis und der Propheten aufs Leder schreibe, daß man die blaue Flecken bei der Auferstehung der To- ten noch sehen soll –

F r a u. Ja! fluch du und poltre du! Das wird jetzt den 15 Teufel bannen. Hilf, heiliger Herregott! Wohinaus nun! Wie werden wir Rat schaffen? Was nun anfangen? Vater Miller, so rede doch! *(Sie läuft heulend durchs Zimmer.)*

M i l l e r. Auf der Stell' zum Minister will ich. Ich zuerst will mein Maul auftun – Ich selbst will es angeben. Du 20 hast es vor mir gewußt. Du hättest mir einen Wink geben können. Das Mädel hätt' sich noch weisen lassen. Es wäre noch Zeit gewesen – aber nein! – Da hat sich was makeln lassen; da hat sich was fischen lassen! Da hast du noch Holz obendrein zugetragen! – Jetzt sorg auch für deinen 25 Kuppelpelz. Friß aus, was du einbrocktest. Ich nehme meine Tochter in Arm, und marsch mit ihr über die Grenze.

FÜNFTE SZENE

Ferdinand von Walter stürzt erschrocken und außer Atem 30 *ins Zimmer. Die Vorigen.*

F e r d i n a n d. War mein Vater da?

L u i s e *(fährt mit Schrecken auf).* Sein Vater! allmächtiger Gott!

F r a u *(schlägt die Hände zusammen).* Der Präsident! Es ist aus mit uns! *(Alle zu-* 35 *gleich.)*

M i l l e r *(lacht voll Bosheit).* Gottlob! Gott- lob! Da haben wir ja die Bescherung!

F e r d i n a n d *(eilt auf Luisen zu und drückt sie stark in die Arme). Mein* bist du, und wärfen Höll' und Himmel sich zwischen uns.

L u i s e. Mein Tod ist gewiß – Rede weiter – Du sprachst einen schrecklichen Namen aus – dein Vater?

F e r d i n a n d. Nichts. Nichts. Es ist überstanden. Ich hab dich ja wieder. Du hast mich ja wieder. O laß mich Atem schöpfen an dieser Brust. Es war eine schreckliche Stunde.

L u i s e. Welche? Du tötest mich!

F e r d i n a n d *(tritt zurück und schaut sie bedeutend an).* Eine Stunde, Luise, wo zwischen mein Herz und dich eine *fremde* Gestalt sich warf – wo meine Liebe vor meinem Gewissen erblaßte – wo meine Luise aufhörte, ihrem Ferdinand *alles* zu sein –

L u i s e *(sinkt mit verhülltem Gesicht auf den Sessel nieder).*

F e r d i n a n d *(geht schnell auf sie zu, bleibt sprachlos mit starrem Blick vor ihr stehen, dann verläßt er sie plötzlich, in großer Bewegung).* Nein! Nimmermehr! Unmöglich, Lady! *Zuviel* verlangt! Ich kann dir diese Unschuld nicht opfern – Nein, beim unendlichen Gott! ich kann meinen Eid nicht verletzen, der mich laut wie des Himmels Donner aus diesem brechenden Auge mahnt – Lady, blick *hieher* – *hieher*, du Rabenvater – Ich soll diesen Engel würgen? Die Hölle soll ich in diesen himmlischen Busen schütten? *(Mit Entschluß auf sie zueilend.)* Ich will sie führen vor des Weltrichters Thron, und ob meine Liebe Verbrechen ist, soll der Ewige sagen. *(Er faßt sie bei der Hand und hebt sie vom Sessel.)* Fasse Mut, meine Teuerste! – Du hast gewonnen. Als Sieger komm ich aus dem gefährlichsten Kampf zurück.

L u i s e. Nein! Nein! Verhehle mir nichts. Sprich es aus, das entsetzliche Urteil. Deinen *Vater* nanntest du? Du nanntest die *Lady*? – Schauer des Todes ergreifen mich – Man sagt, sie wird heuraten.

F e r d i n a n d *(stürzt betäubt zu Luisens Füßen nieder). Mich,* Unglückselige!

L u i s e *(nach einer Pause, mit stillem bebenden Ton und schrecklicher Ruhe).* Nun – was erschreck ich denn? – Der alte Mann dort hat mir's ja oft gesagt – ich hab es ihm

nie glauben wollen. *(Pause, dann wirft sie sich Millern
laut weinend in den Arm.)* Vater, hier ist deine Tochter
wieder – Verzeihung, Vater – Dein Kind kann ja nicht
dafür, daß dieser Traum so schön war, und – – so fürchterlich jetzt das Erwachen – –   5

M i l l e r. Luise! Luise! – O Gott, sie ist von sich – Meine
Tochter, mein armes Kind – Fluch über den Verführer! –
Fluch über das Weib, das ihm kuppelte!

F r a u *(wirft sich jammernd auf Luisen).* Verdien ich diesen
Fluch, meine Tochter? Vergeb's Ihnen Gott, Baron – Was   10
hat dieses Lamm getan, daß Sie es würgen?

F e r d i n a n d *(springt an ihr auf, voll Entschlossenheit).*
Aber ich will seine Kabalen durchbohren – durchreißen
will ich alle diese eiserne Ketten des Vorurteils – Frei wie
ein Mann will ich wählen, daß diese Insektenseelen am   15
Riesenwerk meiner Liebe hinaufschwindeln. *(Er will fort.)*

L u i s e *(zittert vom Sessel auf, folgt ihm).* Bleib! Bleib!
Wohin willst du? – Vater – Mutter – in dieser bangen
Stunde verläßt er uns?

F r a u *(eilt ihm nach, hängt sich an ihn).* Der Präsident   20
wird hieherkommen – Er wird unser Kind mißhandeln –
Er wird *uns* mißhandeln – Herr von Walter, und Sie
verlassen uns?

M i l l e r *(lacht wütend).* Verläßt uns! Freilich! Warum
nicht? – *Sie* gab ihm ja alles hin! *(Mit der einen Hand den*   25
Major, mit der andern Luisen fassend.) Geduld, Herr! der
Weg aus meinem Hause geht nur über *diese* da – Erwarte
erst deinen Vater, wenn du kein Bube bist – Erzähl es
ihm, wie du dich in ihr Herz stahlst, Betrüger, oder bei
Gott! *(ihm seine Tochter zuschleudernd, wild und heftig)*   30
du sollst mir zuvor diesen wimmernden Wurm zertreten,
den Liebe zu dir *so* zuschanden richtete – –

F e r d i n a n d *(kommt zurück und geht auf und ab in tie-*
fen Gedanken). Zwar die Gewalt des Präsidenten ist groß
– *Vaterrecht* ist ein weites Wort – der Frevel selbst kann   35
sich in seinen Falten verstecken, er kann es weit damit
treiben – Weit! – Doch aufs Äußerste treibt's nur *die*
Liebe – Hier, Luise! Deine Hand in die meinige! *(Er faßt*
diese heftig.) So wahr mich Gott im letzten Hauch nicht
verlassen soll! – Der Augenblick, der diese zwo Hände   40

trennt, zerreißt auch den Faden zwischen *mir* und der *Schöpfung.*

L u i s e. Mir wird bange! Blick weg! Deine Lippen beben. Dein Auge rollt fürchterlich –

5 F e r d i n a n d. Nein, Luise. Zittre nicht. Es ist nicht Wahnsinn, was aus mir redet. Es ist das köstliche Geschenk des Himmels, *Entschluß* in dem geltenden Augenblick, wo die gepreßte Brust nur durch etwas Unerhörtes sich Luft macht – Ich liebe dich, Luise – Du sollst mir bleiben, Luise –

10 Jetzt zu meinem Vater! *(Er eilt schnell fort und rennt – gegen den Präsidenten.)*

SECHSTE SZENE

Der Präsident mit einem Gefolge von Bedienten. Vorige.

P r ä s i d e n t *(im Hereintreten).* Da ist er schon.

15 A l l e *(erschrocken).*

F e r d i n a n d *(weicht einige Schritte zurücke).* Im Hause der Unschuld.

P r ä s i d e n t. Wo der Sohn Gehorsam gegen den Vater lernt?

20 F e r d i n a n d. Lassen Sie uns das – –

P r ä s i d e n t *(unterbricht ihn, zu Millern).* Er ist der Vater?

M i l l e r. Stadtmusikant Miller.

P r ä s i d e n t *(zur Frau).* Sie die Mutter?

25 F r a u. Ach ja! die Mutter.

F e r d i n a n d *(zu Millern).* Vater, bring Er die Tochter weg – Sie droht eine Ohnmacht.

P r ä s i d e n t. Überflüssige Sorgfalt. Ich will sie anstreichen. *(Zu Luisen.)* Wie lang kennt Sie den Sohn des Prä-

30 sidenten?

L u i s e. Diesem habe ich nie nachgefragt. Ferdinand von Walter besucht mich seit dem November.

F e r d i n a n d. Betet sie an.

P r ä s i d e n t. Erhielt Sie Versicherungen?

35 F e r d i n a n d. Vor wenig Augenblicken die feierlichste im Angesicht Gottes.

P r ä s i d e n t *(zornig zu seinem Sohn).* Zur Beichte *deiner*

Torheit wird man dir schon das Zeichen geben. *(Zu Luisen.)* Ich warte auf Antwort.

L u i s e. Er schwur mir Liebe.

F e r d i n a n d. Und wird sie halten.

P r ä s i d e n t. Muß ich befehlen, daß du schweigst? – 5
Nahm Sie den Schwur an?

L u i s e *(zärtlich)*. Ich erwiderte ihn.

F e r d i n a n d *(mit fester Stimme)*. Der Bund ist geschlossen.

P r ä s i d e n t. Ich werde das Echo hinauswerfen lassen. *(Boshaft zu Luisen.)* Aber er bezahlte Sie doch jederzeit 10 bar?

L u i s e *(aufmerksam)*. Diese Frage verstehe ich nicht ganz.

P r ä s i d e n t *(mit beißendem Lachen)*. Nicht? Nun! ich meine nur – Jedes Handwerk hat, wie man sagt, seinen goldenen Boden – auch *Sie*, hoff ich, wird Ihre Gunst 15 nicht verschenkt haben – oder war's Ihr vielleicht mit dem bloßen *Verschluß* gedient? Wie?

F e r d i n a n d *(fährt wie rasend auf)*. Hölle! was war das?

L u i s e *(zum Major mit Würde und Unwillen)*. Herr von Walter, jetzt sind Sie frei. 20

F e r d i n a n d. Vater! *Ehrfurcht* befiehlt die Tugend auch im Bettlerkleid.

P r ä s i d e n t *(lacht lauter)*. Eine lustige Zumutung! Der Vater soll die *Hure* des Sohns respektieren.

L u i s e *(stürzt nieder)*. O Himmel und Erde! 25

F e r d i n a n d *(mit Luisen zu gleicher Zeit, indem er den Degen nach dem Präsidenten zückt, den er aber schnell wieder sinken läßt)*. Vater! Sie hatten einmal ein Leben an mich zu fodern – Es ist bezahlt *(den Degen einsteckend)*. Der Schuldbrief der kindlichen Pflicht liegt zerrissen da – 30

M i l l e r *(der bis jetzt furchtsam auf der Seite gestanden, tritt hervor in Bewegung, wechselsweis' für Wut mit den Zähnen knirschend und für Angst damit klappernd)*. Euer Exzellenz – Das Kind ist des Vaters Arbeit – Halten zu Gnaden – Wer das Kind eine Mähre schilt, schlägt den 35 Vater ans Ohr, und Ohrfeig' um Ohrfeig' – Das ist so Tax' bei uns – Halten zu Gnaden.

F r a u. Hilf, Herr und Heiland! – Jetzt bricht auch der Alte los – über unserm Kopf wird das Wetter zusammenschlagen. 40

Präsident *(der es nur halb gehört hat).* Regt sich der
Kuppler auch? – Wir sprechen uns gleich, Kuppler.
Miller. Halten zu Gnaden. Ich heiße Miller, wenn Sie ein
Adagio hören wollen – mit Buhlschaften dien ich nicht.
5 Solang der Hof da noch Vorrat hat, kommt die Lieferung
nicht an uns Bürgersleut'. Halten zu Gnaden.
Frau. Um des Himmels willen, Mann! Du bringst Weib
und Kind um.
Ferdinand. Sie spielen hier eine Rolle, mein Vater,
10 wobei Sie sich wenigstens die Zeugen hätten ersparen
können.
Miller *(kommt ihm näher, herzhafter).* Teutsch und ver-
ständlich. Halten zu Gnaden. Euer Exzellenz schalten und
walten im Land. Das ist meine Stube. Mein devotestes
15 Kompliment, wenn ich dermaleins ein Promemoria bringe,
aber den ungehobelten Gast werf ich zur Tür hinaus –
Halten zu Gnaden.
Präsident *(vor Wut blaß).* Was? – Was ist das? *(Tritt
ihm näher.)*
20 Miller *(zieht sich sachte zurück).* Das war nur so meine
Meinung, Herr – Halten zu Gnaden.
Präsident *(in Flammen).* Ha, Spitzbube! Ins Zuchthaus
spricht dich deine vermessene Meinung – Fort! Man soll
Gerichtsdiener holen. *(Einige vom Gefolg' gehen ab; der*
25 *Präsident rennt voll Wut durch das Zimmer.)* Vater ins
Zuchthaus – an den Pranger Mutter und Metze von Tochter! – Die Gerechtigkeit soll meiner Wut ihre Arme bor-
gen. Für diesen Schimpf muß ich schreckliche Genugtuung
haben – Ein solches Gesindel sollte meine Plane zerschla-
30 gen und ungestraft Vater und Sohn aneinanderhetzen? –
Ha, Verfluchte! Ich will meinen Haß an eurem Untergang sättigen, die ganze Brut, Vater, Mutter und Tochter,
will ich meiner brennenden Rache opfern.
Ferdinand *(tritt gelassen und standhaft unter sie hin).*
35 O nicht doch! Seid außer Furcht! *Ich* bin zugegen. *(Zum
Präsidenten mit Unterwürfigkeit.)* Keine Übereilung, mein
Vater! Wenn Sie sich selbst lieben, keine Gewalttätigkeit
– Es gibt eine Gegend in meinem Herzen, worin das Wort
Vater noch nie gehört worden ist – Dringen Sie nicht bis
40 in *diese.*

P r ä s i d e n t. Nichtswürdiger! Schweig! Reize meinen
   Grimm nicht noch mehr.
M i l l e r *(kommt aus einer dumpfen Betäubung zu sich
   selbst)*. Schau du nach deinem Kinde, Frau. Ich laufe zum
   Herzog – Der Leibschneider – das hat mir Gott eingebla-   5
   sen! – Der Leibschneider lernt die Flöte bei mir. Es kann
   mir nicht fehlen beim Herzog. *(Er will gehen.)*
P r ä s i d e n t. Beim Herzog, sagst du? – Hast du vergessen, daß ich die Schwelle bin, worüber du springen oder
   den Hals brechen mußt? – Beim Herzog, du Dummkopf?   10
   – Versuch es, wenn du, lebendig tot, eine Turmhöhe tief
   unter dem Boden im Kerker liegst, wo die Nacht mit der
   Hölle liebäugelt und Schall und Licht wieder umkehren –
   raßle dann mit deinen Ketten und wimmre: Mir ist zu
   viel geschehen!   15

SIEBENTE SZENE

Gerichtsdiener. Die Vorigen.

F e r d i n a n d *(eilt auf Luisen zu, die ihm halb tot in den
   Arm fällt)*. Luise! Hilfe! Rettung! Der Schrecken über-
   wältigte sie!   20
M i l l e r *(ergreift sein spanisches Rohr, setzt den Hut auf
   und macht sich zum Angriff gefaßt).*
F r a u *(wirft sich auf die Knie vor den Präsident).*
P r ä s i d e n t *(zu den Gerichtsdienern, seinen Orden ent-
   blößend)*. Legt Hand an im Namen des Herzogs – Weg   25
   von der Metze, Junge – Ohnmächtig oder nicht – Wenn
   sie nur erst das eiserne Halsband um hat, wird man sie
   schon mit Steinwürfen aufwecken.
F r a u. Erbarmung, Ihro Exzellenz! Erbarmung! Erbarmung!   30
M i l l e r *(reißt seine Frau in die Höhe)*. Knie vor Gott,
   alte Heulhure, und nicht vor – – Schelmen, weil ich ja
   doch schon ins Zuchthaus muß.
P r ä s i d e n t *(beißt die Lippen)*. Du kannst dich verrech-
   nen, Bube. Es stehen noch Galgen leer! *(Zu den Gerichts-*   35
   dienern.) Muß ich es noch einmal sagen?
G e r i c h t s d i e n e r *(dringen auf Luisen ein).*

Ferdinand *(springt an ihr auf und stellt sich vor sie, grimmig)*. Wer will was? *(Er zieht den Degen samt der Scheide und wehrt sich mit dem Gefäß.)* Wag es, sie an-zurühren, wer nicht auch die Hirnschale an die Gerichte vermietet hat. *(Zum Präsidenten.)* Schonen Sie Ihrer selbst. Treiben Sie mich nicht weiter, mein Vater.

Präsident *(drohend zu den Gerichtsdienern)*. Wenn euch euer Brot lieb ist, Memmen –

Gerichtsdiener *(greifen Luisen wieder an)*.

Ferdinand. Tod und alle Teufel! Ich sage: Zurück – Noch einmal. Haben Sie Erbarmen mit sich selbst. Treiben Sie mich nicht aufs Äußerste, Vater.

Präsident *(aufgebracht zu den Gerichtsdienern)*. Ist das euer Diensteifer, Schurken?

Gerichtsdiener *(greifen hitziger an)*.

Ferdinand. Wenn es denn sein muß *(indem er den Degen zieht und einige von denselben verwundet)*, so verzeih mir, Gerechtigkeit!

Präsident *(voll Zorn)*. Ich will doch sehen, ob auch ich diesen Degen fühle. *(Er faßt Luisen selbst, zerrt sie in die Höh' und übergibt sie einem Gerichtsknecht.)*

Ferdinand *(lacht erbittert)*. Vater, Vater, Sie machen hier ein beißendes Pasquill auf die Gottheit, die sich so übel auf ihre Leute verstund und aus *vollkommenen Henkerskne chten schlechte Minister* machte.

Präsident *(zu den übrigen)*. Fort mit ihr!

Ferdinand. Vater, sie soll an den Pranger stehn, aber *mit* dem Major, des Präsidenten Sohn – Bestehen Sie noch darauf?

Präsident. Desto possierlicher wird das Spektakel – Fort!

Ferdinand. Vater! ich werfe meinen Offiziersdegen auf das Mädchen – Bestehen Sie noch darauf?

Präsident. Das Portepee ist an *deiner* Seite des Prangerstehens gewohnt worden – Fort! Fort! Ihr wißt meinen Willen.

Ferdinand *(drückt einen Gerichtsdiener weg, faßt Luisen mit einem Arm, mit dem andern zückt er den Degen auf sie)*. Vater! Eh' Sie meine Gemahlin beschimpfen, durchstoß ich sie – Bestehen Sie noch darauf?

P r ä s i d e n t. Tu es, wenn deine Klinge auch spitzig ist.
F e r d i n a n d *(läßt Luisen fahren und blickt fürchterlich*
zum Himmel). Du, Allmächtiger, bist Zeuge! Kein *mensch-*
liches Mittel ließ ich unversucht – ich muß zu einem *teuf-*
lischen schreiten – Ihr führt sie zum Pranger fort, unter- 5
dessen *(zum Präsidenten, ins Ohr rufend)* erzähl ich der
Residenz eine Geschichte, *wie man Präsident wird. (Ab.)*
P r ä s i d e n t *(wie vom Blitz gerührt).* Was ist das? – Ferdinand – Laßt sie ledig! *(Er eilt dem Major nach.)*

DRITTER AKT

Saal beim Präsidenten.

ERSTE SZENE

Der Präsident und Sekretär Wurm kommen.

5 P r ä s i d e n t. Der Streich war verwünscht.

W u r m. Wie ich befürchtete, gnädiger Herr. Zwang *erbittert* die Schwärmer immer, aber *bekehrt* sie nie.

P r ä s i d e n t. Ich hatte mein bestes Vertrauen in diesen Anschlag gesetzt. Ich urteilte so: Wenn das Mädchen *be-*
10 *schimpft* wird, muß er, als Offizier, zurücktreten.

W u r m. Ganz vortrefflich. Aber zum *Beschimpfen* hätt' es auch kommen sollen.

P r ä s i d e n t. Und doch – wenn ich es jetzt mit kaltem Blut überdenke – Ich hätte mich nicht sollen eintreiben
15 lassen – Es war eine Drohung, woraus er wohl nimmermehr Ernst gemacht hätte.

W u r m. Das denken Sie ja nicht. Der gereizten Leidenschaft ist keine Torheit zu bunt. Sie sagen mir, der Herr Major habe immer den Kopf zu Ihrer Regierung geschüt-
20 telt. Ich glaub's. Die Grundsätze, die er aus Akademien hieherbrachte, wollten mir gleich nicht recht einleuchten. Was sollten auch die phantastischen Träumereien von Seelengröße und persönlichem Adel an einem Hof, wo die größte Weisheit diejenige ist, im rechten Tempo, auf eine
25 geschickte Art, groß und klein zu sein. Er ist zu jung und zu feurig, um Geschmack am langsamen krummen Gang der Kabale zu finden, und nichts wird seine Ambition in Bewegung setzen, als was groß ist und abenteuerlich.

P r ä s i d e n t *(verdrüßlich).* Aber was wird diese wohl-
30 weise Anmerkung an unserm Handel verbessern?

W u r m. Sie wird Euer Exzellenz auf die Wunde hinweisen und auch vielleicht auf den Verband. Einen solchen Charakter – erlauben Sie – hätte man entweder nie zum *Vertrauten*, oder niemals zum *Feind* machen sollen. Er verab-
35 scheut das Mittel, wodurch Sie gestiegen sind. Vielleicht

war es bis jetzt nur der *Sohn*, der die Zunge des *Verräters*
band. Geben Sie ihm Gelegenheit, jenen rechtmäßig abzu-
schütteln. Machen Sie ihn durch wiederholte Stürme auf
seine Leidenschaft glauben, daß Sie der zärtliche *Vater*
nicht sind, so dringen die Pflichten des Patrioten bei ihm   5
vor. Ja, schon allein die seltsame Phantasie, der Gerechtigkeit ein so merkwürdiges Opfer zu bringen, könnte Reiz
genug für ihn haben, selbst seinen Vater zu stürzen.

P r ä s i d e n t. Wurm – Wurm – Er führt mich da vor einen
entsetzlichen Abgrund.   10

W u r m. Ich will Sie zurückführen, gnädiger Herr. Darf
ich freimütig reden?

P r ä s i d e n t *(indem er sich niedersetzt)*. Wie ein Ver-
dammter zum Mitverdammten.

W u r m. Also verzeihen Sie – Sie haben, dünkt mich, der   15
biegsamen Hofkunst den ganzen *Präsidenten* zu danken,
warum vertrauten Sie ihr nicht auch den *Vater* an? Ich
besinne mich, mit welcher Offenheit Sie Ihren Vorgänger
damals zu einer Partie Piquet beredeten und bei ihm die
halbe Nacht mit freundschaftlichem Burgunder hinweg-   20
schwemmten, und das war doch die nämliche Nacht, wo
die große Mine losgehen und den guten Mann in die Luft
blasen sollte – Warum zeigten Sie Ihrem Sohne den Feind?
Nimmermehr hätte dieser erfahren sollen, daß ich um
seine Liebesangelegenheit wisse. Sie hätten den Roman   25
von seiten des Mädchens unterhöhlt und das Herz Ihres
Sohnes behalten. Sie hätten den klugen General gespielt,
der den Feind nicht am Kern seiner Truppen faßt, sondern Spaltungen unter den Gliedern stiftet.

P r ä s i d e n t. Wie war das zu machen?   30

W u r m. Auf die einfachste Art – und die Karten sind noch
nicht ganz vergeben. Unterdrücken Sie eine Zeitlang, daß
Sie Vater sind. Messen Sie sich mit einer Leidenschaft
nicht, die jeder Widerstand nur mächtiger machte – Überlassen Sie es *mir*, an ihrem eigenen Feuer den Wurm aus-   35
zubrüten, der sie zerfrißt.

P r ä s i d e n t. Ich bin begierig.

W u r m. Ich müßte mich schlecht auf den Barometer der
Seele verstehen, oder der Herr Major ist in der Eifersucht
schrecklich, wie in der Liebe. Machen Sie ihm das Mädchen   40

verdächtig – – Wahrscheinlich oder nicht. Ein *Gran* Hefe
reicht hin, die ganze Masse in eine zerstörende Gärung zu
jagen.

P r ä s i d e n t. Aber woher diesen Gran nehmen?

W u r m. Da sind wir auf dem Punkt – Vor allen Dingen,
gnädiger Herr, erklären Sie sich mir, wieviel Sie bei der
fernern Weigerung des Majors auf dem Spiel haben – in
welchem Grade es Ihnen wichtig ist, den Roman mit dem
Bürgermädchen zu endigen und die Verbindung mit Lady
Milford zustand' zu bringen?

P r ä s i d e n t. Kann Er noch fragen, Wurm? – Mein ganzer Einfluß ist in Gefahr, wenn die Partie mit der Lady
zurückgeht, und, wenn ich den Major zwinge, mein Hals.

W u r m *(munter).* Jetzt haben Sie die Gnade und hören. –
Den Herrn Major umspinnen wir mit List. Gegen das Mädchen nehmen wir Ihre ganze Gewalt zu Hilfe. *Wir diktie-
ren ihr ein Billetdoux an eine dritte Person in die Feder
und spielen das mit guter Art dem Major in die Hände.*

P r ä s i d e n t. Toller Einfall! Als ob sie sich so geschwind
hin bequemen würde, ihr eigenes Todesurteil zu schreiben?

W u r m. Sie *muß*, wenn Sie mir freie Hand lassen wollen.
Ich kenne das gute Herz auf und nieder. Sie hat nicht
mehr als zwei tödliche Seiten, durch welche wir ihr Gewissen bestürmen können – ihren Vater und den Major.
Der letztere bleibt ganz und gar aus dem Spiel, desto
freier können wir mit dem Musikanten umspringen.

P r ä s i d e n t. Als zum Exempel?

W u r m. Nach dem, was Euer Exzellenz mir von dem
Auftritt in seinem Hause gesagt haben, wird nichts leichter sein, als den Vater mit einem Halsprozeß zu bedrohen.
Die Person des Günstlings und Siegelbewahrers ist ge-
wissermaßen der Schatten der Majestät – Beleidigungen
gegen jenen sind Verletzungen dieser – Wenigstens will ich
den armen Schächer mit diesem zusammengeflickten Kobold durch ein Nadelöhr jagen.

P r ä s i d e n t. Doch – ernsthaft dürfte der Handel nicht
werden.

W u r m. Ganz und gar nicht – Nur insoweit, als es nötig
ist, die Familie in die Klemme zu treiben – Wir setzen
also in aller Stille den Musikus fest – Die Not um so drin-

gender zu machen, könnte man auch die Mutter mitneh-
men – sprechen von peinlicher Anklage, von Schafott, von
ewiger Festung, und machen den *Brief der Tochter* zur
einzigen Bedingnis seiner Befreiung.

Präsident. Gut! Gut! Ich verstehe. 5

Wurm. Sie liebt ihren Vater – bis zur Leidenschaft, möcht'
ich sagen. Die Gefahr seines Lebens – seiner Freiheit zum
mindesten – Die Vorwürfe ihres Gewissens, den Anlaß
dazu gegeben zu haben – Die Unmöglichkeit, den Major
zu besitzen – endlich die Betäubung ihres Kopfs, die ich 10
auf *mich* nehme – Es kann nicht fehlen – Sie *muß* in die
Falle gehn.

Präsident. Aber mein Sohn? Wird der nicht auf der
Stelle Wind davon haben? Wird er nicht wütender werden?

Wurm. Das lassen Sie *meine* Sorge sein, gnädiger Herr – 15
Vater und Mutter werden nicht eher freigelassen, bis die
ganze Familie einen körperlichen Eid darauf abgelegt,
den ganzen Vorgang geheimzuhalten und den Betrug zu
bestätigen.

Präsident. Einen Eid? Was wird ein Eid fruchten, 20
Dummkopf?

Wurm. Nichts bei *uns*, gnädiger Herr. Bei *dieser* Men-
schenart alles – Und sehen Sie nun, wie schön wir beide
auf diese Manier zum Ziel kommen werden – Das Mädchen verliert die Liebe des Majors und den Ruf ihrer Tu- 25
gend. Vater und Mutter ziehen gelindere Saiten auf, und
durch und durch weichgemacht von Schicksalen dieser Art,
erkennen sie's noch zuletzt für Erbarmung, wenn ich der
Tochter durch meine Hand ihre Reputation wiedergebe.

Präsident *(lacht unter Kopfschütteln)*. Ja! ich gebe 30
mich dir überwunden, Schurke. Das Geweb' ist satanisch
fein. Der Schüler übertrifft seinen Meister – – Nun ist die
Frage, an *wen* das Billet muß gerichtet werden? Mit *wem*
wir sie in Verdacht bringen müssen?

Wurm. Notwendig mit jemand, der durch den Entschluß 35
Ihres Sohnes alles gewinnen oder alles verlieren muß.

Präsident *(nach einigem Nachdenken)*. Ich weiß nur
den Hofmarschall.

Wurm *(zuckt die Achseln)*. *Mein* Geschmack wär' er nun
freilich nicht, wenn ich Luise Millerin hieße. 40

P r ä s i d e n t. Und warum nicht? Wunderlich! Eine blen-
dende Garderobe – eine Atmosphäre von Eau de mille
fleurs und Bisam – auf jedes alberne Wort eine Handvoll
Dukaten – und alles das sollte die Delikatesse einer bür-
5 gerlichen Dirne nicht endlich bestechen können? – O guter
Freund. So skrupulös ist die Eifersucht nicht. Ich schicke
zum Marschall. *(Klingelt.)*

W u r m. Unterdessen, daß Euer Exzellenz dieses und die
Gefangennehmung des Geigers besorgen, werd ich hin-
10 gehen und den bewußten Liebesbrief aufsetzen.

P r ä s i d e n t *(zum Schreibpult gehend).* Den Er mir zum
Durchlesen heraufbringt, sobald er zustand' sein wird.
*(Wurm geht ab. Der Präsident setzt sich, zu schreiben; ein
Kammerdiener kommt; er steht auf und gibt ihm ein Pa-*
15 *pier.)* Dieser Verhaftsbefehl muß ohne Aufschub in die
Gerichte – ein andrer von euch wird den Hofmarschall zu
mir bitten.

K a m m e r d i e n e r. Der gnädige Herr sind soeben hier
angefahren.

20 P r ä s i d e n t. Noch besser – Aber die Anstalten sollen mit
Vorsicht getroffen werden, sagt ihr, daß kein Aufstand
erfolgt.

K a m m e r d i e n e r. Sehr wohl, Ihr' Exzellenz.

P r ä s i d e n t. Versteht ihr? Ganz in der Stille.

25 K a m m e r d i e n e r. Ganz gut, Ihr' Exzellenz. *(Ab.)*

ZWEITE SZENE

Der Präsident und der Hofmarschall.

H o f m a r s c h a l l *(eilfertig).* Nur en passant, mein Bester.
– Wie leben Sie? Wie befinden Sie sich? – Heute abend ist
30 große Opéra Dido – das süperbeste Feuerwerk – eine
ganze Stadt brennt zusammen – Sie sehen sie doch auch
brennen? Was?

P r ä s i d e n t. Ich habe Feuerwerks genug in meinem eigenen Hause, das meine ganze Herrlichkeit in die Luft
35 nimmt – Sie kommen erwünscht, lieber Marschall, mir in
einer Sache zu raten, tätig zu helfen, die uns beide poussiert oder völlig zugrund' richtet. Setzen Sie sich.

H o f m a r s c h a l l. Machen Sie mir nicht angst, mein Süßer.

P r ä s i d e n t. Wie gesagt – poussiert oder ganz zugrund'
richtet. Sie wissen mein Projekt mit dem Major und der
Lady. Sie begreifen auch, wie unentbehrlich es war, unser
beider Glück zu fixieren. Es kann alles zusammenfallen,   5
Kalb. Mein Ferdinand will nicht.

H o f m a r s c h a l l. Will nicht – will nicht – ich hab's ja in
der ganzen Stadt schon herumgesagt. Die Mariage ist ja
in jedermanns Munde.

P r ä s i d e n t. Sie können vor der ganzen Stadt als Wind-   10
macher dastehen. Er liebt eine andere.

H o f m a r s c h a l l. Sie scherzen. Ist das auch wohl ein
Hindernis?

P r ä s i d e n t. Bei dem Trotzkopf das unüberwindlichste.

H o f m a r s c h a l l. Er sollte so wahnsinnig sein und sein   15
Fortune von sich stoßen? Was?

P r ä s i d e n t. Fragen Sie ihn das und hören Sie, was er
antwortet.

H o f m a r s c h a l l. Aber mon Dieu! Was kann er denn
antworten?   20

P r ä s i d e n t. Daß er der ganzen Welt das Verbrechen entdecken wolle, wodurch wir gestiegen sind – daß er unsere
falschen Briefe und Quittungen angeben – daß er uns
beide ans Messer liefern wolle – Das kann er antworten.

H o f m a r s c h a l l. Sind Sie von Sinnen?   25

P r ä s i d e n t. Das hat er geantwortet. Das war er schon
willens, ins Werk zu richten – Davon hab ich ihn kaum
noch durch meine höchste Erniedrigung abgebracht. Was
wissen Sie hierauf zu sagen?

H o f m a r s c h a l l *(mit einem Schafsgesicht)*. Mein Ver-   30
stand steht still.

P r ä s i d e n t. Das könnte noch hingehen. Aber zugleich
hinterbringen mir meine Spionen, daß der Oberschenk
von Bock auf dem Sprunge sei, um die Lady zu werben.

H o f m a r s c h a l l. Sie machen mich rasend. *Wer* sagen   35
Sie? Von Bock sagen Sie? – Wissen Sie denn auch, daß wir
Todfeinde zusammen sind? Wissen Sie auch, warum wir
es sind?

P r ä s i d e n t. Das erste Wort, das ich höre.

H o f m a r s c h a l l. Bester! Sie werden hören, und aus der   40

Haut werden Sie fahren – Wenn Sie sich noch des Hof-
balls entsinnen – – es geht jetzt ins einundzwanzigste Jahr
– wissen Sie, worauf man den ersten Englischen tanzte
und dem Grafen von Meerschaum das heiße Wachs von
5   einem Kronleuchter auf den Domino tröpfelte – Ach Gott!
das müssen Sie freilich noch wissen!

P r ä s i d e n t. Wer könnte so was vergessen?

H o f m a r s c h a l l. Sehen Sie! Da hatte Prinzessin Ama-
lie in der Hitze des Tanzes ein Strumpfband verloren –
10   Alles kommt, wie begreiflich ist, in Alarm – von Bock und
ich – wir waren noch Kammerjunker – wir kriechen durch
den ganzen Redoutensaal, das Strumpfband zu suchen –
endlich erblick ich’s – von Bock merkt’s – von Bock darauf
zu – reißt es mir aus den Händen – ich bitte Sie! – bringt’s
15   der Prinzessin und schnappt mir glücklich das Kompliment weg – Was denken Sie?

P r ä s i d e n t. Impertinent!

H o f m a r s c h a l l. Schnappt mir das Kompliment weg –
Ich meine in Ohnmacht zu sinken. Eine solche Malice ist
20   gar nicht erlebt worden. – Endlich ermann ich mich, nähere
mich Ihrer Durchlaucht und spreche: Gnädigste Frau! von
Bock war so glücklich, Höchstdenenselben das Strumpfband zu überreichen, aber wer das Strumpfband zuerst
erblickte, belohnt sich in der Stille und schweigt.

25 P r ä s i d e n t. Bravo, Marschall! Bravissimo!

H o f m a r s c h a l l. Und schweigt – Aber ich werd’s dem
von Bock bis zum Jüngsten Gerichte noch nachtragen –
der niederträchtige kriechende Schmeichler! – und das war
noch nicht genug – wie wir beide zugleich auf das
30   Strumpfband zu Boden fallen, wischt mir von Bock an
der rechten Frisur allen Puder weg, und ich bin ruiniert
auf den ganzen Ball.

P r ä s i d e n t. Das ist der Mann, der die Milford heuraten
und die erste Person am Hof werden wird.

35 H o f m a r s c h a l l. Sie stoßen mir ein Messer ins Herz.
Wird? Wird? Warum wird er? Wo ist die Notwendigkeit?

P r ä s i d e n t. Weil mein Ferdinand nicht will und sonst
keiner sich meldet.

H o f m a r s c h a l l. Aber wissen Sie denn gar kein einzi-
40   ges Mittel, den Major zum Entschluß zu bringen? – – Sei’s

auch noch so bizarr! so verzweifelt! – Was in der Welt
kann so widrig sein, das uns jetzt nicht willkommen wäre,
den verhaßten von Bock auszustechen?
Präsident. Ich weiß nur *eines*, und das bei Ihnen steht.
Hofmarschall. Bei *mir* steht? Und das ist?   5
Präsident. Den Major mit seiner Geliebten zu ent-
zweien.
Hofmarschall. Zu entzweien? Wie meinen Sie das? –
und wie mach ich das?
Präsident. Alles ist gewonnen, sobald wir ihm das   10
Mädchen verdächtig machen.
Hofmarschall. Daß sie *stehle*, meinen Sie?
Präsident. Ach nein doch! Wie glaubte er das? – daß
sie es noch mit einem andern habe.
Hofmarschall. Dieser andre?   15
Präsident. Müßten *Sie* sein, Baron.
Hofmarschall. Ich sein? Ich? – Ist sie von Adel?
Präsident. Wozu das? Welcher Einfall! – Eines Musi-
kanten Tochter.
Hofmarschall. Bürgerlich also? Das wird nicht an-   20
gehen. Was?
Präsident. Was wird nicht angehen? Narrenspossen!
Wem unter der Sonne wird es einfallen, ein paar runde
Wangen nach dem Stammbaum zu fragen?
Hofmarschall. Aber bedenken Sie doch, ein Ehmann!   25
Und meine Reputation bei Hofe.
Präsident. Das ist was anders. Verzeihen Sie. Ich hab
das noch nicht gewußt, daß Ihnen der *Mann von unbe-
scholtenen Sitten* mehr ist als *der von Einfluß*. Wollen
wir abbrechen?   30
Hofmarschall. Seien Sie klug, Baron. Es war ja nicht
so verstanden.
Präsident (*frostig*). Nein – nein! Sie haben vollkom-
men Recht. Ich bin es auch müde. Ich lasse den Karren
stehen. Dem von Bock wünsch ich Glück zum Premier-   35
minister. Die Welt ist noch anderswo. Ich fodre meine
Entlassung vom Herzog.
Hofmarschall. Und *ich*? – Sie haben gut schwatzen,
Sie! Sie sind ein Stuttierter! Aber *ich*? – Mon Dieu! Was
bin dann *ich*, wenn mich Seine Durchleucht entlassen?   40

P r ä s i d e n t. Ein Bonmot von vorgestern. Die Mode vom
vorigen Jahr.

H o f m a r s c h a l l. Ich beschwöre Sie, Teurer, Goldner!
– Ersticken Sie diesen Gedanken! Ich will mir ja alles gefallen lassen.

P r ä s i d e n t. *Wollen* Sie Ihren Namen zu einem Rendez-
vous hergeben, den Ihnen diese Millerin schriftlich vor-
schlagen soll?

H o f m a r s c h a l l. Im Namen Gottes! Ich will ihn hergeben.

P r ä s i d e n t. Und den Brief irgendwo herausfallen lassen, wo er dem Major zu Gesicht kommen muß?

H o f m a r s c h a l l. Zum Exempel auf der Parade will ich
ihn, als von Ohngefähr, mit dem Schnupftuch heraus-
schleudern.

P r ä s i d e n t. Und die Rolle ihres Liebhabers gegen den
Major behaupten?

H o f m a r s c h a l l. Mort de ma vie! Ich will ihn schon
waschen! Ich will dem Naseweis den Appetit nach *mei-*
nen Amouren verleiden.

P r ä s i d e n t. Nun geht's nach Wunsch. Der Brief muß
noch heute geschrieben sein. Sie müssen vor Abend noch
herkommen, ihn abzuholen und Ihre Rolle mit mir zu
berichtigen.

H o f m a r s c h a l l. Sobald ich sechzehn Visiten werde gegeben haben, die von allerhöchster Importance sind. Verzeihen Sie also, wenn ich mich ohne Aufschub beurlaube.
(Geht.)

P r ä s i d e n t *(klingelt)*. Ich zähle auf Ihre Verschlagen-
heit, Marschall.

H o f m a r s c h a l l *(ruft zurück)*. Ah mon Dieu! Sie kennen mich ja.

DRITTE SZENE

Der Präsident und Wurm.

W u r m. Der Geiger und seine Frau sind glücklich und ohne
alles Geräusch in Verhaft gebracht. Wollen Euer Exzellenz jetzt den Brief überlesen?

P r ä s i d e n t *(nachdem er gelesen)*. Herrlich! Herrlich, Sekretär! Auch der Marschall hat angebissen! – Ein Gift
wie das müßte die Gesundheit selbst in eiternden Aussatz
verwandeln – Nun gleich mit den Vorschlägen zum Vater,
und dann warm zu der Tochter.
(Gehen ab zu verschiedenen Seiten.)

VIERTE SZENE

Zimmer in Millers Wohnung.
Luise und Ferdinand.

L u i s e. Ich bitte dich, höre auf. Ich glaube an keine glückliche Tage mehr. Alle meine Hoffnungen sind gesunken.
F e r d i n a n d. So sind die meinigen gestiegen. Mein Vater
ist aufgereizt. Mein Vater wird alle Geschütze gegen uns
richten. Er wird mich zwingen, den unmenschlichen Sohn
zu machen. Ich stehe nicht mehr für meine kindliche
Pflicht. Wut und Verzweiflung werden mir das schwarze
Geheimnis seiner Mordtat erpressen. Der Sohn wird den
Vater in die Hände des Henkers liefern – Es ist die *höchste* Gefahr – und die höchste Gefahr mußte dasein,
wenn meine Liebe den Riesensprung wagen sollte. – –
Höre, Luise – ein Gedanke, groß und vermessen wie
meine Leidenschaft, drängt sich vor meine Seele – *Du*,
Luise, und *ich* und die *Liebe*! – Liegt nicht in diesem Zirkel der ganze Himmel? oder brauchst du noch etwas Vier-
tes dazu?
L u i s e. Brich ab. Nichts mehr. Ich erblasse über das, was
du sagen willst.
F e r d i n a n d. Haben wir an die Welt keine Foderung
mehr, warum denn ihren Beifall erbetteln? Warum wagen,
wo nichts gewonnen wird und alles verloren werden
kann? – Wird dieses Aug' nicht ebenso schmelzend fun-
keln, ob es im Rhein oder in der Elbe sich spiegelt, oder
im Baltischen Meer? Mein Vaterland ist, wo mich Luise
liebt. Deine Fußtapfe in wilden sandigten Wüsten mir
interessanter als das Münster in meiner Heimat – Werden
wir die Pracht der Städte vermissen? Wo wir sein mögen,
Luise, geht eine Sonne auf, eine unter – Schauspiele, neben

welchen der üppigste Schwung der Künste verblaßt. Werden wir Gott in keinem Tempel mehr dienen, so ziehet die Nacht mit begeisternden Schauern auf, der wechselnde Mond predigt uns Buße, und eine andächtige Kirche von Sternen betet mit uns. Werden wir uns in Gesprächen der Liebe erschöpfen? – Ein Lächeln meiner Luise ist Stoff für Jahrhunderte, und der Traum des Lebens ist aus, bis ich diese Träne ergründe.

L u i s e. Und hättest du sonst keine Pflicht mehr als deine Liebe?

F e r d i n a n d *(sie umarmend)*. Deine Ruhe ist meine heiligste.

L u i s e *(sehr ernsthaft)*. So schweig und verlaß mich – Ich habe einen Vater, der kein Vermögen hat als diese einzige Tochter – der morgen sechzig alt wird – der der Rache des Präsidenten gewiß ist. –

F e r d i n a n d *(fällt rasch ein)*. Der uns begleiten wird. Darum keinen Einwurf mehr, Liebe. Ich gehe, mache meine Kostbarkeiten zu Geld, erhebe Summen auf meinen Vater. Es ist erlaubt, einen Räuber zu plündern, und sind seine Schätze nicht Blutgeld des Vaterlands? – Schlag *ein* Uhr um Mitternacht wird ein Wagen hier anfahren. Ihr werft euch hinein. Wir fliehen.

L u i s e. Und der Fluch deines Vaters uns nach? – ein Fluch, Unbesonnener, den auch Mörder nie ohne Erhörung aussprechen, den die Rache des Himmels auch dem Dieb auf dem Rade hält, der uns Flüchtlinge unbarmherzig wie ein Gespenst von Meer zu Meer jagen würde? – Nein, mein Geliebter! Wenn nur ein Frevel dich mir erhalten kann, so hab ich noch Stärke, dich zu verlieren.

F e r d i n a n d *(steht still und murmelt düster)*. Wirklich?

L u i s e. *Verlieren!* – O ohne Grenzen entsetzlich ist der Gedanke – gräßlich genug, den unsterblichen Geist zu durchbohren und die glühende Wange der Freude zu bleichen – Ferdinand! dich zu verlieren! – Doch! Man verliert ja nur, was man besessen hat, und dein Herz gehört deinem Stande – Mein Anspruch war Kirchenraub, und schaudernd geb ich ihn auf.

F e r d i n a n d *(das Gesicht verzerrt und an der Unterlippe nagend)*. Gibst du ihn auf?

L u i s e. Nein! Sieh mich an, lieber Walter. Nicht so bitter
   die Zähne geknirscht. Komm! Laß mich jetzt deinen ster-
   benden Mut durch mein Beispiel beleben. Laß *mich* die
   Heldin dieses Augenblicks sein – einem Vater den ent-
   flohenen Sohn wiederschenken – einem Bündnis entsagen,   5
   das die Fugen der Bürgerwelt auseinandertreiben und die
   allgemeine ewige Ordnung zugrund' stürzen würde – *Ich*
   bin die Verbrecherin – mit frechen törichten Wünschen hat
   sich mein Busen getragen – mein Unglück ist meine *Strafe*,
   so laß mir doch jetzt die süße schmeichelnde Täuschung,   10
   daß es mein *Opfer* war – Wirst du mir diese Wollust
   mißgönnen?
F e r d i n a n d *(hat in der Zerstreuung und Wut eine Vio-*
   line ergriffen und auf derselben zu spielen versucht –
   Jetzt zerreißt er die Saiten, zerschmettert das Instrument 15
   auf dem Boden und bricht in ein lautes Gelächter aus).
L u i s e. Walter! Gott im Himmel! Was soll das? – Er-
   manne dich. Fassung verlangt diese Stunde – es ist eine
   trennende. Du hast ein Herz, lieber Walter. Ich *kenne* es.
   Warm wie das Leben ist deine Liebe und ohne Schranken   20
   wie 's Unermeßliche – Schenke sie einer *Edeln* und Wür-
   digern – sie wird die Glücklichsten ihres Geschlechts nicht
   beneiden – – *(Tränen unterdrückend)* mich sollst du nicht
   mehr sehn – Das eitle betrogene Mädchen verweine seinen
   Gram in einsamen Mauren, um seine Tränen wird sich   25
   niemand bekümmern – Leer und erstorben ist meine Zukunft – Doch werd ich noch je und je am verwelkten
   Strauß der Vergangenheit riechen. *(Indem sie ihm mit abgewandtem Gesicht ihre zitternde Hand gibt.)* Leben Sie
   wohl, Herr von Walter.   30
F e r d i n a n d *(springt aus seiner Betäubung auf).* Ich ent-
   fliehe, Luise. Wirst du mir wirklich nicht folgen?
L u i s e *(hat sich im Hintergrund des Zimmers niedergesetzt*
   und hält das Gesicht mit beiden Händen bedeckt). Meine
   Pflicht heißt mich bleiben und dulden.   35
F e r d i n a n d. Schlange, du lügst. Dich fesselt was anders
   hier.
L u i s e *(im Ton des tiefsten inwendigen Leidens).* Bleiben Sie
   bei dieser Vermutung – sie macht vielleicht weniger elend.
F e r d i n a n d. Kalte Pflicht gegen feurige Liebe! – Und   40

mich soll das Märchen blenden? – Ein Liebhaber fesselt
dich, und Weh über dich und ihn, wenn mein Verdacht
sich bestätigt! *(Geht schnell ab.)*

FÜNFTE SZENE

5 L u i s e *(allein. Sie bleibt noch eine Zeitlang ohne Bewegung und stumm in dem Sessel liegen, endlich steht sie auf,
kommt vorwärts und sieht furchtsam herum).* Wo meine
Eltern bleiben? – Mein Vater versprach, in wenigen Minuten zurück zu sein, und schon sind fünf volle fürchterliche
10 Stunden vorüber – Wenn ihm ein Unfall – Wie wird mir?
– Warum geht mein Odem so ängstlich?
*(Jetzt tritt Wurm in das Zimmer und bleibt im Hintergrund
stehen, ohne von ihr bemerkt zu werden.)*
Es ist nichts Wirkliches – Es ist nichts als das schaudernde
15 Gaukelspiel des erhitzten Geblüts – Hat unsre Seele nur
einmal Entsetzen genug in sich getrunken, so wird das
Aug' in jedem Winkel Gespenster sehn.

SECHSTE SZENE

Luise und Sekretär Wurm.

20 W u r m *(kommt näher).* Guten Abend, Jungfer.
L u i s e. Gott! Wer spricht da? *(Sie dreht sich um, wird den
Sekretär gewahr und tritt erschrocken zurück.)* Schreck-
lich! Schrecklich! Meiner ängstlichen Ahndung eilt schon
die unglückseligste Erfüllung nach. *(Zum Sekretär mit
25 einem Blick voll Verachtung.)* Suchen Sie etwa den Präsi-
denten? Er ist nicht mehr da.
W u r m. Jungfer, ich suche Sie.
L u i s e. So muß ich mich wundern, daß Sie nicht nach dem
Marktplatz gingen.
30 W u r m. Warum eben *dahin?*
L u i s e. Ihre Braut von der Schandbühne abzuholen.
W u r m. Mamsell Millerin, Sie haben einen falschen Verdacht –
L u i s e *(unterdrückt eine Antwort).* Was steht Ihnen zu
35 Diensten?

W u r m. Ich komme, geschickt von Ihrem Vater.

L u i s e *(bestürzt)*. Von meinem Vater? – Wo ist mein Vater?

W u r m. Wo er nicht gern ist.

L u i s e. Um Gottes willen! Geschwind! Mich befällt eine
üble Ahndung – Wo ist mein Vater?   5

W u r m. Im Turm, wenn Sie es ja wissen wollen.

L u i s e *(mit einem Blick zum Himmel)*. Das noch! das auch
noch! – – Im Turm? Und warum im Turm?

W u r m. Auf Befehl des Herzogs.

L u i s e. Des Herzogs?   10

W u r m. Der die Verletzung der Majestät in der Person seines Stellvertreters –

L u i s e. Was? Was? O ewige Allmacht!

W u r m. Auffallend zu ahnden beschlossen hat.

L u i s e. Das war noch übrig! Das! – freilich, freilich, mein   15
Herz hatte noch außer dem Major etwas Teures – Das
durfte nicht übergangen werden – Verletzung der Majestät – Himmlische Vorsicht! Rette! o rette meinen sinken-
den Glauben! – und Ferdinand?

W u r m. Wählt Lady Milford oder Fluch und Enterbung.   20

L u i s e. Entsetzliche Freiheit! – und doch – doch ist er
glücklicher. Er hat keinen Vater zu verlieren. Zwar keinen
haben, ist Verdammnis genug! – Mein Vater auf Verletzung der Majestät – mein Geliebter die Lady oder Fluch
und Enterbung – Wahrlich bewundernswert! Eine voll-   25
kommene Büberei ist auch eine Vollkommenheit – Vollkommenheit? *Nein!* dazu fehlt noch etwas – – Wo ist
meine Mutter?

W u r m. Im Spinnhaus.

L u i s e *(mit schmerzvollem Lächeln)*. Jetzt ist es völlig! –   30
völlig, und jetzt wär' ich ja *frei* – Abgeschält von allen
Pflichten – und Tränen – und Freuden. Abgeschält von
der Vorsicht. Ich brauch sie ja nicht mehr – *(Schreckliches
Stillschweigen.)* Haben Sie vielleicht noch eine Zeitung?
Reden Sie immerhin. Jetzt kann ich alles hören.   35

W u r m. Was *geschehen* ist, wissen Sie.

L u i s e. Also nicht, was noch *kommen* wird? *(Wiederum
Pause, worin sie den Sekretär von oben bis unten ansieht.)*
Armer Mensch! Du treibst ein trauriges Handwerk, wobei
du ohnmöglich selig werden kannst. Unglückliche *machen*,   40

ist schon schrecklich genug, aber *gräßlich* ist's, es ihnen *verkündigen* – Ihn vorzusingen, den Eulengesang, dabeizustehn, wenn das blutende Herz am eisernen Schaft der *Notwendigkeit* zittert und Christen an Gott zweifeln. –
5 Der Himmel bewahre mich! und würde dir jeder Angsttropfe, den du fallen siehst, mit einer Tonne Golds aufgewogen – ich möchte nicht *du* sein – – Was kann noch geschehen?

W u r m. Ich weiß nicht.

10 L u i s e. Sie *wollen* nicht wissen? – Diese lichtscheue Botschaft fürchtet das Geräusch der Worte, aber in der Grabstille Ihres Gesichts zeigt sich mir das Gespenst – Was ist noch übrig? – Sie sagten vorhin, der Herzog wolle es *auffallend* ahnden? Was nennen Sie auffallend?

15 W u r m. Fragen Sie nichts mehr.

L u i s e. Höre, Mensch! Du gingst beim Henker zur Schule. Wie verstündest du sonst, das Eisen erst langsam-bedächtlich an den knirschenden Gelenken hinaufzuführen und das zuckende Herz mit dem Streich der Erbarmung zu
20 necken? – Welches Schicksal wartet auf meinen Vater? Es ist Tod in dem, was du lachend sagst; wie mag das aussehen, was du an dich hältst? Sprich es aus. Laß mich sie auf einmal haben, die ganze zermalmende Ladung. Was wartet auf meinen Vater?

25 W u r m. Ein Kriminalprozeß.

L u i s e. Was ist aber das? – Ich bin ein unwissendes unschuldiges Ding, verstehe mich wenig auf eure fürchterliche lateinische Wörter. Was heißt Kriminalprozeß?

W u r m. Gericht um Leben und Tod.

30 L u i s e *(standhaft)*. So dank ich Ihnen! *(Sie eilt schnell in ein Seitenzimmer.)*

W u r m *(steht betroffen da)*. Wo will das hinaus? Sollte die Närrin etwa? – Teufel! sie wird doch nicht – Ich eile nach – ich muß für ihr Leben bürgen. *(Im Begriff, ihr zu
35 folgen.)*

L u i s e *(kommt zurück, einen Mantel umgeworfen)*. Verzeihen Sie, Sekretär. Ich schließe das Zimmer.

W u r m. Und wohin denn so eilig?

L u i s e. Zum Herzog. *(Will fort.)*

40 W u r m. Was? Wo hin? *(Er hält sie erschrocken zurück.)*

L u i s e. Zum Herzog. Hören Sie nicht? Zu eben dem Herzog, der meinen Vater auf Tod und Leben will richten
lassen – Nein! Nicht *will* – *muß* richten lassen, weil einige
Böswichter wollen; der zu dem ganzen Prozeß der belei-
digten Majestät nichts hergibt als eine Majestät und seine   5
fürstliche Handschrift.
W u r m *(lacht überlaut)*. Zum Herzog!
L u i s e. Ich weiß, worüber Sie lachen – aber ich will ja
auch kein Erbarmen dort finden – Gott bewahre mich!
nur Ekel – Ekel nur an meinem Geschrei. Man hat mir   10
gesagt, daß die Großen der Welt noch nicht belehrt sind,
was *Elend* ist – nicht wollen belehrt sein. Ich will ihm
sagen, was Elend ist – will es ihm vormalen in allen Ver-
zerrungen des Todes, was Elend ist – will es ihm vorheu-
len in Mark und Bein zermalmenden Tönen, was Elend   15
ist – und wenn ihm jetzt über der Beschreibung die Haare
zu Berge fliegen, will ich ihm noch zum Schluß in die
Ohren schrein, daß in der Sterbestunde auch die Lungen
der Erdengötter zu röcheln anfangen und das Jüngste Gericht Majestäten und Bettler in dem nämlichen Siebe   20
rüttle. *(Sie will gehen.)*
W u r m *(boshaft freundlich)*. Gehen Sie, o gehen Sie ja. Sie
können wahrlich nichts Klügeres tun. Ich rate es Ihnen,
gehen Sie, und ich gebe Ihnen mein Wort, daß der Herzog
willfahren wird.   25
L u i s e *(steht plötzlich still)*. Wie sagen Sie? – Sie raten
mir selbst dazu? *(Kommt schnell zurück.)* Hm! Was will
ich denn? Etwas Abscheuliches muß es sein, weil dieser
Mensch dazu ratet – Woher wissen Sie, daß der Fürst mir
willfahren wird?   30
W u r m. Weil er es nicht wird *umsonst* tun dürfen.
L u i s e. Nicht umsonst? Welchen Preis kann er auf eine
Menschlichkeit setzen?
W u r m. Die schöne Supplikantin ist Preises genug.
L u i s e *(bleibt erstarrt stehn, dann mit brechendem Laut)*.   35
Allgerechter!
W u r m. Und einen *Vater* werden Sie doch, will ich hoffen,
um diese gnädige Taxe nicht überfodert finden?
L u i s e *(auf und ab, außer Fassung)*. Ja! Ja! Es ist wahr.
Sie sind verschanzt, eure Großen – verschanzt vor der   40

Wahrheit hinter ihre eigene Laster, wie hinter Schwerter
der Cherubim – Helfe dir der Allmächtige, Vater. Deine
Tochter kann für dich sterben, aber nicht sündigen.

W u r m. Das mag ihm wohl eine Neuigkeit sein, dem armen
verlassenen Mann – »Meine Luise«, sagte er mir, »hat
mich zu Boden geworfen. Meine Luise wird mich auch
aufrichten« – Ich eile, Mamsell, ihm die Antwort zu bringen. *(Stellt sich, als ob er ginge.)*

L u i s e *(eilt ihm nach, hält ihn zurück)*. Bleiben Sie! Bleiben Sie! Geduld! – Wie flink dieser Satan ist, wenn es
gilt, Menschen rasend zu machen! *Ich* hab ihn niederge-
worfen. *Ich* muß ihn aufrichten. Reden Sie! Raten Sie!
Was kann ich? Was *muß* ich tun?

W u r m. Es ist nur *ein* Mittel.

L u i s e. Dieses einzige Mittel?

W u r m. Auch Ihr Vater wünscht –

L u i s e. Auch mein Vater? – Was ist das für ein Mittel?

W u r m. Es ist Ihnen leicht.

L u i s e. Ich kenne nichts Schwerers als die Schande.

W u r m. Wenn Sie den Major wieder frei machen wollen?

L u i s e. Von seiner Liebe? Spotten Sie meiner? – *Das* meiner Willkür zu überlassen, wozu ich gezwungen ward?

W u r m. So ist es nicht gemeint, liebe Jungfer. Der Major
muß zuerst und freiwillig zurücktreten.

L u i s e. Er wird nicht.

W u r m. So scheint es. Würde man denn wohl seine Zuflucht zu Ihnen nehmen, wenn nicht Sie allein dazu helfen könnten?

L u i s e. Kann ich ihn zwingen, daß er mich hassen muß?

W u r m. Wir wollen versuchen. Setzen Sie sich.

L u i s e *(betreten)*. Mensch! Was brütest du?

W u r m. Setzen Sie sich. Schreiben Sie! Hier ist Feder, Pa-
pier und Dinte.

L u i s e *(setzt sich in höchster Beunruhigung)*. Was soll ich
schreiben? An wen soll ich schreiben?

W u r m. An den Henker Ihres Vaters.

L u i s e. Ha! du verstehst dich darauf, Seelen auf die Folter zu schrauben. *(Ergreift eine Feder.)*

W u r m *(diktiert)*. »Gnädiger Herr« –

L u i s e *(schreibt mit zitternder Hand)*.

W u r m. »Schon drei unerträgliche Tage sind vorüber – –
		sind vorüber – und wir sahen uns nicht«

L u i s e *(stutzt, legt die Feder weg).* An wen ist der Brief?

W u r m. An den Henker Ihres Vaters.

L u i s e. O mein Gott!																5

W u r m. »Halten Sie sich deswegen an den Major – an
		den Major – der mich den ganzen Tag wie ein Argus hü-
		tet« –

L u i s e *(springt auf).* Büberei, wie noch keine erhört wor-
		den! An wen ist der Brief?												10

W u r m. An den Henker Ihres Vaters.

L u i s e *(die Hände ringend, auf und nieder).* Nein! Nein!
		Nein! Das ist tyrannisch, o Himmel! Strafe Menschen
		menschlich, wenn sie dich reizen, aber warum mich zwi-
		schen zwei Schröcknisse pressen? Warum zwischen Tod		15
		und Schande mich hin und her wiegen? Warum diesen
		blutsaugenden Teufel mir auf den Nacken setzen? –
		Macht, was ihr wollt. Ich schreibe das nimmermehr.

W u r m *(greift nach dem Hut).* Wie Sie wollen, Made-
		moiselle. Das steht ganz in Ihrem Belieben.					20

L u i s e. *Belieben*, sagen Sie? In meinem Belieben? – Geh,
		Barbar! hänge einen Unglücklichen über dem Abgrund der
		Hölle aus, bitt ihn um etwas, und lästre Gott, und frag
		ihn, ob's ihm *beliebe*? – O du weißt allzu gut, daß unser
		Herz an natürlichen Trieben so fest als an Ketten liegt –	25
		Nunmehr ist alles gleich. Diktieren Sie weiter. Ich denke
		nichts mehr. Ich weiche der überlistenden Hölle. *(Sie setzt
		sich zum zweitenmal.)*

W u r m. »Den ganzen Tag wie ein Argus hütet« – Haben
		Sie das?																		30

L u i s e. Weiter! weiter!

W u r m. »Wir haben gestern den Präsidenten im Haus ge-
		habt. Es war possierlich zu sehen, wie der gute Major um
		meine Ehre sich wehrte« –

L u i s e. O schön, schön! o herrlich! – Nur immer fort.		35

W u r m. »Ich nahm meine Zuflucht zu einer Ohnmacht –
		zu einer Ohnmacht – daß ich nicht laut lachte« –

L u i s e. O Himmel!

W u r m. »Aber bald wird mir meine Maske unerträglich –
		unerträglich – Wenn ich nur loskommen könnte« –		40

L u i s e *(hält inne, steht auf, geht auf und nieder, den Kopf
gesenkt, als suchte sie was auf dem Boden; dann setzt sie
sich wiederum, schreibt weiter).* »Loskommen könnte« –
W u r m. »Morgen hat er den Dienst – Passen Sie ab, wenn
5 er von mir geht, und kommen an den bewußten Ort« –
Haben Sie *»bewußten«?*
L u i s e. Ich habe alles.
W u r m. »An den bewußten Ort zu Ihrer zärtlichen ...
Luise.«
10 L u i s e. Nun fehlt die Adresse noch.
W u r m. »An Herrn Hofmarschall von Kalb.«
L u i s e. Ewige Vorsicht! ein Name, so fremd meinen Ohren,
als meinem Herzen diese schändlichen Zeilen. *(Sie steht
auf und betrachtet eine große Pause lang mit starrem
15 Blick das Geschriebene, endlich reicht sie es dem Sekretär,
mit erschöpfter hinsterbender Stimme.)* Nehmen Sie, mein
Herr. Es ist mein ehrlicher Name – es ist Ferdinand – ist
die ganze Wonne meines Lebens, was ich jetzt in Ihre
Hände gebe – Ich bin eine Bettlerin!
20 W u r m. O nein doch! Verzagen Sie nicht, liebe Mademoiselle. Ich habe herzliches Mitleid mit Ihnen. Vielleicht –
wer weiß? – Ich könnte mich noch wohl über gewisse
Dinge hinwegsetzen – Wahrlich! Bei Gott! Ich habe Mitleid mit Ihnen.
25 L u i s e *(blickt ihn starr und durchdringend an).* Reden Sie
nicht aus, mein Herr. Sie sind auf dem Wege, sich etwas
Entsetzliches zu wünschen.
W u r m *(im Begriff, ihre Hand zu küssen).* Gesetzt, es wäre
diese niedliche Hand – Wieso, liebe Jungfer?
30 L u i s e *(groß und schrecklich).* Weil ich dich in der Braut-
nacht erdrosselte und mich dann mit Wollust aufs Rad
flechten ließe. *(Sie will gehen, kommt aber schnell zurück.)*
Sind wir jetzt fertig, mein Herr? Darf die Taube nun
fliegen?
35 W u r m. Nur noch die Kleinigkeit, Jungfer. Sie müssen mit
mir und das Sakrament darauf nehmen, diesen Brief für
einen freiwilligen zu erkennen.
L u i s e. Gott! Gott! und du selbst mußt das Siegel geben,
die Werke der Hölle zu verwahren?
40 *(Wurm zieht sie fort.)*

VIERTER AKT

Saal beim Präsidenten.

ERSTE SZENE

Ferdinand von Walter, einen offenen Brief in der Hand,
kommt stürmisch durch eine Türe, durch eine andre ein 5
Kammerdiener.

F e r d i n a n d. War kein Marschall da?
K a m m e r d i e n e r. Herr Major, der Herr Präsident fra-
gen nach Ihnen.
F e r d i n a n d. Alle Donner! Ich frag, war kein Marschall 10
da?
K a m m e r d i e n e r. Der gnädige Herr sitzen oben am
Pharotisch.
F e r d i n a n d. Der gnädige Herr soll im Namen der gan-
zen Hölle daherkommen. 15
(Kammerdiener geht.)

ZWEITE SZENE

F e r d i n a n d *(allein, den Brief durchfliegend, bald erstar-*
rend, bald wütend herumstürzend). Es ist nicht möglich.
Nicht möglich. Diese himmlische Hülle versteckt kein so 20
teuflisches Herz – – Und doch! doch! Wenn alle Engel
heruntertiegen, für ihre Unschuld bürgten – wenn Himmel und Erde, wenn Schöpfung und Schöpfer zusammen-
träten, für ihre Unschuld bürgten – es ist ihre *Hand* – ein
unerhörter ungeheurer Betrug, wie die Menschheit noch 25
keinen erlebte! – *Das* also war's, warum man sich so be-
harrlich der Flucht widersetzte! – *Darum* – o Gott! jetzt
erwach ich, jetzt enthüllt sich mir alles! – *Darum* gab man
seinen Anspruch auf meine Liebe mit so viel Heldenmut
auf, und bald, bald hätte selbst *mich* die himmlische 30
Schminke betrogen! *(Er stürzt rascher durchs Zimmer,*
dann steht er wieder nachdenkend still.)

Mich so ganz zu ergründen! – Jedes kühne Gefühl, jede
leise schüchterne Bebung zu erwidern, jede feurige Wallung – An der feinsten Unbeschreiblichkeit eines schwe-
benden Lauts meine Seele zu fassen – Mich zu berechnen
5 in einer Träne – Auf jeden gähen Gipfel der Leidenschaft
mich zu begleiten, mir zu begegnen vor jedem schwindeln-
den Absturz – Gott! Gott! und alles das nichts als *Grimasse?* – Grimasse! – O wenn die Lüge eine so haltbare
Farbe hat, wie ging es zu, daß sich kein Teufel noch in
10 das Himmelreich hineinlog?
Da ich ihr die Gefahr unsrer Liebe entdeckte, mit welch
überzeugender Täuschung erblaßte die Falsche da! Mit
welch siegender Würde schlug sie den frechen Hohn meines Vaters zu Boden, und in ebendem Augenblick fühlte
15 das Weib sich doch schuldig – Was? hielt sie nicht selbst
die Feuerprobe der Wahrheit aus – die Heuchlerin sinkt
in Ohnmacht. Welche Sprache wirst du jetzt führen, Empfindung? Auch Koketten sinken in Ohnmacht. Womit
wirst *du* dich rechtfertigen, Unschuld? – Auch Metzen
20 sinken in Ohnmacht.
Sie weiß, was sie aus mir gemacht hat. Sie hat meine ganze
Seele gesehn. Mein Herz trat beim Erröten des ersten Kusses sichtbar in meine Augen – und sie empfand nichts?
Empfand vielleicht nur den Triumph ihrer Kunst? – Da
25 mein glücklicher Wahnsinn den ganzen Himmel in ihr zu
umspannen wähnte, meine wildesten Wünsche schwiegen
– vor meinem Gemüt stand kein Gedanke als die Ewigkeit
und das Mädchen – Gott! da empfand sie nichts? Fühlte
nichts, als ihren Anschlag gelungen? Nichts, als ihre Reize
30 geschmeichelt? Tod und Rache! Nichts, als daß ich betrogen sei?

DRITTE SZENE

Der Hofmarschall und Ferdinand.

Hofmarschall (*ins Zimmer trippelnd*). Sie haben den
35 Wunsch blicken lassen, mein Bester –
Ferdinand (*vor sich hinmurmelnd*). Einem Schurken
den Hals zu brechen. (*Laut.*) Marschall, dieser Brief muß

Ihnen bei der Parade aus der Tasche gefallen sein – und
ich (mit boshaftem Lachen) war zum Glück noch der Fin-
der.

H o f m a r s c h a l l. Sie?

F e r d i n a n d. Durch den lustigsten Zufall. Machen Sie's   5
mit der Allmacht aus.

H o f m a r s c h a l l. Sie sehen, wie ich erschrecke, Baron.

F e r d i n a n d. Lesen Sie! Lesen Sie! *(Von ihm weggehend.)*
Bin ich auch schon zum Liebhaber zu schlecht, vielleicht
laß ich mich desto besser als Kuppler an.   10

*(Während daß jener liest, tritt er zur Wand und nimmt
zwei Pistolen herunter.)*

H o f m a r s c h a l l *(wirft den Brief auf den Tisch und
will sich davonmachen)*. Verflucht!

F e r d i n a n d *(führt ihn am Arm zurück)*. Geduld, lieber   15
Marschall. Die Zeitungen dünken mich angenehm. Ich will
meinen Finderlohn haben. *(Hier zeigt er ihm die Pistolen.)*

H o f m a r s c h a l l *(tritt bestürzt zurück)*. Sie werden ver-
nünftig sein, Bester.

F e r d i n a n d *(mit starker schrecklicher Stimme)*. Mehr als 20
zuviel, um einen Schelmen, wie du bist, in jene Welt zu
schicken! *(Er dringt ihm die eine Pistole auf, zugleich zieht
er sein Schnupftuch.)* Nehmen Sie! dieses Schnupftuch da
fassen Sie! – Ich hab's von der Buhlerin.

H o f m a r s c h a l l. Über dem Schnupftuch? Rasen Sie?   25
Wohin denken Sie?

F e r d i n a n d. Faß dieses End' an, sag ich. Sonst wirst du
ja fehlschießen, Memme! – Wie sie zittert, die Memme!
Du solltest Gott danken, Memme, daß du zum erstenmal
etwas in deinen Hirnkasten kriegst. *(Hofmarschall macht*   30
sich auf die Beine.) Sachte! Dafür wird gebeten sein. *(Er*
überholt ihn und riegelt die Tür.)

H o f m a r s c h a l l. Auf dem Zimmer, Baron?

F e r d i n a n d. Als ob sich mit dir ein Gang vor den Wall
verlohnte? – Schatz, so knallt's desto lauter, und das ist   35
ja doch wohl das *erste* Geräusch, das du in der Welt
machst – Schlag an!

H o f m a r s c h a l l *(wischt sich die Stirn)*. Und Sie wollen
Ihr kostbares Leben so aussetzen, junger hoffnungsvoller
Mann?   40

F e r d i n a n d. Schlag an, sag ich. Ich habe nichts mehr in
dieser Welt zu tun.

H o f m a r s c h a l l. Aber *ich* desto mehr, mein Allervor-
trefflichster.

5 F e r d i n a n d. *Du*, Bursche? Was *du*? – Der Notnagel zu
sein, wo die *Menschen* sich rar machen? In *einem* Augenblick siebenmal kurz und siebenmal lang zu werden, wie
der Schmetterling an der Nadel? Ein Register zu führen
über die Stuhlgänge deines Herrn und der Mietgaul seines
10 Witzes zu sein? Ebensogut, *ich* führe dich wie irgendein
seltenes Murmeltier mit mir. Wie ein zahmer Affe sollst
du zum Geheul der Verdammten tanzen, apportieren und
aufwarten und mit deinen höfischen Künsten die ewige
Verzweiflung belustigen.

15 H o f m a r s c h a l l. Was Sie befehlen, Herr, wie Sie belieben – Nur die Pistolen weg!

F e r d i n a n d. Wie er da steht, der Schmerzenssohn! – Da
steht, dem sechsten Schöpfungstag zum Schimpfe! Als
wenn ein Tübinger Buchhändler dem Allmächtigen
20 nachgedruckt hätte! – Schade nur, ewig schade für die
Unze Gehirn, die so schlecht in diesem undankbaren Schä-
del wuchert. Diese einzige Unze hätte dem Pavian noch
vollends zum Menschen geholfen, da sie jetzt nur einen
Bruch von Vernunft macht – Und mit *diesem* ihr Herz zu
25 teilen? – Ungeheuer! Unverantwortlich! – Einem Kerl,
mehr gemacht, von Sünden zu entwöhnen, als dazu anzu-
reizen.

H o f m a r s c h a l l. Oh! Gott sei ewig Dank! Er wird wit-
zig.

30 F e r d i n a n d. Ich will ihn gelten lassen. Die Toleranz, die
der Raupe schont, soll auch diesem zugute kommen. Man
begegnet ihm, zuckt etwa die Achsel, bewundert vielleicht
noch die kluge Wirtschaft des Himmels, der auch mit Trebern und Bodensatz noch Kreaturen speist; der dem Ra-
35 ben auf Hochgericht und einem Höfling im Schlamme der
Majestäten den Tisch deckt – Zuletzt erstaunt man noch
über die große Polizei der Vorsicht, die auch in der Gei-
sterwelt ihre Blindschleichen und Taranteln zur Ausfuhr
des Gifts besoldet – Aber *(indem seine Wut sich erneuert)*
40 an meine Blume soll mir das Ungeziefer nicht kriechen,

oder ich will es *(den Marschall fassend und unsanft her-*
umschüttelnd) so und so und wieder so durcheinander-
quetschen.

Hofmarschall *(für sich hinseufzend).* O mein Gott!
Wer hier weg wäre! Hundert Meilen von hier, im Bicêtre   5
zu Paris! nur bei diesem nicht!

Ferdinand. Bube! Wenn sie nicht *rein* mehr ist? Bube!
Wenn du *genossest,* wo ich *anbetete? (wütender)* schwelg-
test, wo ich einen *Gott* mich fühlte? *(Plötzlich schweigt er,
darauf fürchterlich.)* Dir wäre besser, Bube, du flöhest der   10
Hölle zu, als daß dir mein Zorn im Himmel begegnete!
– Wie weit kamst du mit dem Mädchen? Bekenne!

Hofmarschall. Lassen Sie mich los. Ich will alles verraten.

Ferdinand. Oh! es muß reizender sein, mit diesem   15
Mädchen zu *buhlen,* als mit andern noch so *himmlisch zu
schwärmen* – Wollte sie ausschweifen, wollte sie, sie
könnte den Wert der *Seele* herunterbringen und die Tugend mit der Wollust verfälschen. *(Dem Marschall die
Pistole aufs Herz drückend.)* Wie weit kamst du mit ihr?   20
Ich drücke ab, oder bekenne!

Hofmarschall. Es ist nichts – ist ja alles nichts. Haben
Sie nur eine Minute Geduld. Sie sind ja betrogen.

Ferdinand. Und daran mahnst du mich, Bösewicht? –
Wie weit kamst du mit ihr? Du bist des Todes, oder be-   25
kenne!

Hofmarschall. Mon Dieu! Mein Gott! Ich spreche ja
– So hören Sie doch nur – Ihr Vater – Ihr eigener leib-
licher Vater –

Ferdinand *(grimmiger).* Hat seine Tochter an dich ver-   30
kuppelt? Und wie weit kamst du mit ihr? Ich ermorde
dich, oder bekenne!

Hofmarschall. Sie rasen. Sie hören nicht. Ich sah sie
nie. Ich kenne sie nicht. Ich weiß gar nichts von ihr.

Ferdinand *(zurücktretend).* Du sahst sie nie? Kennst   35
sie nicht? Weißt gar nichts von ihr? – Die Millerin ist *verloren* um deinetwillen, du leugnest sie dreimal in einem
Atem hinweg? – Fort, schlechter Kerl. *(Er gibt ihm mit
der Pistole einen Streich und stößt ihn aus dem Zimmer.)*
Für deinesgleichen ist kein Pulver erfunden!   40

VIERTE SZENE

F e r d i n a n d *(nach einem langen Stillschweigen, worin seine Züge einen schrecklichen Gedanken entwickeln).* Verloren! Ja, Unglückselige! – Ich bin es. Du bist es auch. Ja, bei dem großen Gott! Wenn ich verloren bin, bist du es auch! Richter der Welt! Fodre sie mir nicht ab. Das Mädchen ist mein. Ich trat dir deine ganze Welt für das Mädchen ab, habe Verzicht getan auf deine ganze herrliche Schöpfung. Laß mir das Mädchen. – Richter der Welt! Dort winseln Millionen Seelen nach dir – Dorthin kehre das Aug' deines Erbarmens – Mich laß allein machen, Richter der Welt! *(Indem er schrecklich die Hände faltet.)* Sollte der reiche vermögende Schöpfer mit einer Seele geizen, die noch dazu die schlechteste seiner Schöpfung ist? – Das Mädchen ist mein! Ich einst ihr Gott, jetzt ihr Teufel! *(Die Augen graß in einen Winkel geworfen.)* Eine Ewigkeit mit ihr auf ein Rad der Verdammnis geflochten – Augen in Augen wurzelnd – Haare zu Berge stehend gegen Haare – Auch unser hohles Wimmern in *eins* geschmolzen – Und jetzt zu wiederholen meine Zärtlichkeiten, und jetzt ihr vorzusingen ihre Schwüre – Gott! Gott! Die Vermählung ist fürchterlich – aber ewig! *(Er will schnell hinaus. Der Präsident tritt herein.)*

FÜNFTE SZENE

Der Präsident und Ferdinand.

F e r d i n a n d *(zurücktretend).* Oh! – Mein Vater!
P r ä s i d e n t. Sehr gut, daß wir uns finden, mein Sohn. Ich komme, dir etwas Angenehmes zu verkündigen und etwas, lieber Sohn, das dich ganz gewiß überraschen wird. Wollen wir uns setzen?
F e r d i n a n d *(sieht ihn lange Zeit starr an).* Mein Vater! *(Mit stärkerer Bewegung zu ihm gehend und seine Hand fassend.)* Mein Vater! *(Seine Hand küssend, vor ihm niederfallend.)* O mein Vater!
P r ä s i d e n t. Was ist dir, mein Sohn? Steh auf. Deine Hand brennt und zittert.

Ferdinand *(mit wilder feuriger Empfindung).* Verzeihung für meinen Undank, mein Vater! Ich bin ein verwor-
fener Mensch. Ich habe Ihre Güte mißkannt. Sie meinten
es mit mir so väterlich – Oh! Sie hatten eine weissagende
Seele – Jetzt ist's zu spät – Verzeihung! Verzeihung! Ih-   5
ren Segen, mein Vater!

Präsident *(heuchelt eine schuldlose Miene).* Steh auf,
mein Sohn! Besinne dich, daß du mir Rätsel sprichst.

Ferdinand. Diese Millerin, mein Vater – Oh, Sie kennen den Menschen – Ihre Wut war damals so gerecht, so   10
edel, so väterlich warm – Nur verfehlte der warme Vater-
eifer des Weges – Diese Millerin!

Präsident. Martre mich nicht, mein Sohn. Ich verfluche
meine Härte! Ich bin gekommen, dir abzubitten.

Ferdinand. Abbitten an *mir*! Verfluchen an *mir*! – Ihre   15
Mißbilligung war Weisheit. Ihre Härte war himmlisches
Mitleid – – Diese Millerin, Vater –

Präsident. Ist ein edles, ein liebes Mädchen. – Ich wi-
derrufe meinen übereilten Verdacht. Sie hat meine Ach-
tung erworben.   20

Ferdinand *(springt erschüttert auf).* Was? auch Sie? –
Vater! auch Sie? – Und nicht wahr, mein Vater, ein Ge-
schöpf wie die Unschuld? – und es ist so menschlich, dieses
Mädchen zu lieben?

Präsident. Sage so: Es ist Verbrechen, es nicht zu lieben.   25

Ferdinand. Unerhört! Ungeheuer! – Und Sie schauen
ja doch sonst die Herzen so durch! Sahen sie noch dazu
mit Augen des Hasses! – Heuchelei ohne Beispiel – Diese
Millerin, Vater –

Präsident. Ist es wert, meine Tochter zu sein. Ich rechne   30
ihre Tugend für Ahnen und ihre Schönheit für Gold.
Meine Grundsätze weichen deiner Liebe – Sie sei dein!

Ferdinand *(stürzt fürchterlich aus dem Zimmer).* Das
fehlte noch! Leben Sie wohl, mein Vater. *(Ab.)*

Präsident *(ihm nachgehend).* Bleib! Bleib! Wohin   35
stürmst du? *(Ab.)*

Ein sehr prächtiger Saal bei der Lady.

SECHSTE SZENE

Lady und Sophie treten herein.

L a d y. Also sahst du sie? Wird sie kommen?

5 S o p h i e. Diesen Augenblick. Sie war noch im Haus-
gewand und wollte sich nur in der Geschwindigkeit um-
kleiden.

L a d y. Sage mir nichts von ihr – Stille – wie eine Verbrecherin zittre ich, die Glückliche zu sehen, die mit mei-
10 nem Herzen so schrecklich harmonisch fühlt – Und wie
nahm sie sich bei der Einladung?

S o p h i e. Sie schien bestürzt, wurde nachdenkend, sah
mich mit großen Augen an und schwieg. Ich hatte mich
schon auf ihre Ausflüchte vorbereitet, als sie mit einem
15 Blick, der mich ganz überraschte, zur Antwort gab: Ihre
Dame befiehlt mir, was ich mir morgen erbitten wollte.

L a d y *(sehr unruhig).* Laß mich, Sophie. Beklage mich. Ich
muß erröten, wenn sie nur das gewöhnliche Weib ist, und,
wenn sie mehr ist, verzagen.

20 S o p h i e. Aber Mylady – das ist die Laune nicht, eine
Nebenbuhlerin zu empfangen. Erinnern Sie sich, wer Sie
sind. Rufen Sie Ihre Geburt, Ihren Rang, Ihre Macht zu
Hilfe. Ein stolzeres Herz muß die stolze Pracht Ihres An-
blicks erheben.

25 L a d y *(zerstreut).* Was schwatzt die Närrin da?

S o p h i e *(boshaft).* Oder es ist vielleicht Zufall, daß eben
heute die kostbarsten Brillanten an Ihnen blitzen? Zufall,
daß eben heute der reichste Stoff Sie bekleiden muß – daß
Ihre Antischamber von Heiducken und Pagen wimmelt
30 und das Bürgermädchen im fürstlichsten Saal Ihres Pa-
lastes erwartet wird?

L a d y *(auf und ab voll Erbitterung).* Verwünscht! Unerträglich! Daß Weiber für Weiberschwächen solche Luchs-
augen haben! – – Aber wie tief, wie tief muß ich schon ge-
35 sunken sein, daß eine solche Kreatur mich ergründet!

E i n K a m m e r d i e n e r *(tritt auf).* Mamsell Millerin –

L a d y *(zu Sophien).* Hinweg du! Entferne dich! *(Drohend,
da diese noch zaudert.)* Hinweg! Ich befehl es. *(Sophie*

geht ab, Lady macht einen Gang durch den Saal.) Gut!
Recht gut, daß ich in Wallung kam. Ich bin, wie ich
wünschte. *(Zum Kammerdiener.)* Die Mamsell mag hereintreten.
(Kammerdiener geht. Sie wirft sich in den Sofa und nimmt 5
eine vornehm-nachlässige Lage an.)

SIEBENTE SZENE

*Luise Millerin tritt schüchtern herein und bleibt in einer gro-
ßen Entfernung von der Lady stehen; Lady hat ihr den
Rücken zugewandt und betrachtet sie eine Zeitlang auf-* 10
merksam in dem gegenüberstehenden Spiegel.

(Nach einer Pause.)

L u i s e. Gnädige Frau, ich erwarte Ihre Befehle.
L a d y *(dreht sich nach Luisen um und nickt nur eben mit
dem Kopf, fremd und zurückgezogen).* Aha! Ist Sie hier? 15
– Ohne Zweifel die Mamsell – eine gewisse – Wie nennt
man Sie doch?
L u i s e *(etwas empfindlich).* Miller nennt sich mein Vater,
und Ihro Gnaden *schickten* nach seiner Tochter.
L a d y. Recht! Recht! Ich entsinne mich – die arme Geigers- 20
tochter, wovon neulich die Rede war. *(Nach einer Pause,
vor sich.)* Sehr interessant, und doch keine Schönheit –
(Laut zu Luisen.) Trete Sie näher, mein Kind. *(Wieder
vor sich.)* Augen, die sich im Weinen übten – Wie lieb ich
sie, diese Augen! *(Wiederum laut.)* Nur näher – Nur ganz 25
nah – Gutes Kind, ich glaube, du *fürchtest* mich?
L u i s e *(groß, mit entschiednem Ton).* Nein, Mylady. Ich
verachte das Urteil der Menge.
L a d y *(vor sich).* Sieh doch! und diesen Trotzkopf hat sie
von *ihm. (Laut.)* Man hat Sie mir empfohlen, Mamsell. 30
Sie soll was gelernt haben und sonst auch zu leben wissen
– Nun ja. Ich will's glauben – auch nähm' ich die ganze
Welt nicht, einen so warmen Fürsprecher Lügen zu strafen.
L u i s e. Doch kenn ich niemand, Mylady, der sich Mühe
gäbe, mir eine Patronin zu suchen. 35
L a d y *(geschraubt).* Mühe um die Klientin oder Patronin?
L u i s e. Das ist mir zu hoch, gnädige Frau.

L a d y. Mehr Schelmerei, als diese offene Bildung vermuten
läßt! Luise nennt Sie sich? Und wie jung, wenn man fragen darf?

L u i s e. Sechzehn gewesen.

5 L a d y *(steht rasch auf)*. Nun ist's heraus! Sechzehn Jahre!
Der erste Puls dieser Leidenschaft! – Auf dem unberühr-
ten Klavier der erste einweihende Silberton! – Nichts ist
verführerischer – Setz dich, ich bin dir gut, liebes Mädchen
– Und auch er liebt zum erstenmal – Was Wunder, wenn
10 sich die Strahlen *eines* Morgenrots finden? *(Sehr freundlich und ihre Hand ergreifend.)* Es bleibt dabei, ich will
dein Glück machen, Liebe – Nichts, nichts als die süße
früheverfliegende Träumerei. *(Luisen auf die Wange klop-
fend.)* Meine Sophie heuratet. Du sollst ihre Stelle haben
15 – Sechzehn Jahr! Es kann nicht von Dauer sein.

L u i s e *(küßt ihr ehrerbietig die Hand)*. Ich danke für diese
Gnade, Mylady, als *wenn* ich sie annehmen dürfte.

L a d y *(in Entrüstung zurückfallend)*. Man sehe die große
Dame! – Sonst wissen sich Jungfern *Ihrer* Herkunft noch
20 glücklich, wenn sie Herrschaften finden – wo will denn
Sie hinaus, meine Kostbare? Sind diese Finger zur Arbeit
zu niedlich? Ist es Ihr bißchen Gesicht, worauf Sie so trot-
zig tut?

L u i s e. Mein Gesicht, gnädige Frau, gehört mir so wenig
25 als meine Herkunft.

L a d y. Oder glaubt Sie vielleicht, das werde nimmer ein
Ende nehmen? – Armes Geschöpf, wer dir das in den
Kopf setzte – mag er sein, wer er will – er hat euch beide
zum besten gehabt. Diese Wangen sind nicht im Feuer
30 vergoldet. Was dir dein Spiegel für massiv und ewig
verkauft, ist nur ein dünner angeflogener Goldschaum,
der deinem Anbeter über kurz oder lang in der Hand
bleiben muß – Was werden wir *dann* machen?

L u i s e. Den Anbeter bedauern, Mylady, der einen *Demant*
35 kaufte, weil er *in Gold* schien gefaßt zu sein.

L a d y *(ohne darauf achten zu wollen)*. Ein Mädchen von
Ihren Jahren hat immer zween Spiegel zugleich, den wahren und ihren Bewunderer – Die gefällige Geschmeidig-
keit des letztern macht die rauhe Offenherzigkeit des er-
40 stern wieder gut. Der eine rügt eine häßliche Blatternarbe.

Weit gefehlt, sagt der andere, es ist ein Grübchen der Grazien. Ihr guten Kinder glaubt *jenem* nur, was euch *dieser*
gesagt hat, hüpft von einem zum andern, bis ihr zuletzt
die Aussagen beider verwechselt. – Warum begafft Sie
mich so?   5
L u i s e. Verzeihen Sie, gnädige Frau – Ich war soeben im
Begriff, diesen prächtig blitzenden Rubin zu beweinen,
der es nicht wissen muß, daß seine Besitzerin so scharf
wider Eitelkeit eifert.
L a d y *(errötend)*. Keinen Seitensprung, Lose! – Wenn es   10
nicht die Promessen Ihrer Gestalt sind, was in der Welt
könnte Sie abhalten, einen Stand zu erwählen, der, der
einzige ist, wo Sie Manieren und Welt lernen kann, der
einzige ist, wo Sie sich Ihrer bürgerlichen Vorurteile ent-
ledigen kann?   15
L u i s e. Auch meiner bürgerlichen Unschuld, Mylady?
L a d y. Läppischer Einwurf! Der ausgelassenste Bube ist zu
verzagt, uns etwas Beschimpfendes zuzumuten, wenn wir
ihm nicht selbst ermunternd entgegengehn. Zeige Sie, wer
Sie ist. Gebe Sie sich Ehre und Würde, und ich sage Ihrer   20
Jugend für alle Versuchung gut.
L u i s e. Erlauben Sie, gnädige Frau, daß ich mich unter-
stehe, daran zu zweifeln. Die Paläste gewisser Damen
sind oft die Freistätten der frechsten Ergötzlichkeit. Wer
sollte der Tochter des armen Geigers den Heldenmut zu-   25
trauen, den Heldenmut, mitten in die Pest sich zu werfen
und doch dabei vor der Vergiftung zu schaudern? Wer
sollte sich träumen lassen, daß Lady Milford ihrem Gewissen einen ewigen Skorpion halte, daß sie Geldsummen
aufwende, um den Vorteil zu haben, jeden Augenblick   30
schamrot zu werden? – Ich bin offenherzig, gnädige Frau
– Würde Sie mein Anblick ergötzen, wenn Sie einem Vergnügen entgegengingen? Würden Sie ihn ertragen, wenn
Sie zurückkämen? – – O besser! besser! Sie lassen Him-
melsstriche uns trennen – Sie lassen Meere zwischen uns   35
fließen! – Sehen Sie sich wohl für, Mylady – Stunden der
Nüchternheit, Augenblicke der *Erschöpfung* könnten sich
melden – Schlangen der Reue könnten Ihren Busen anfallen, und *nun* – welche Folter für Sie, im Gesicht Ihres
Dienstmädchens die *heitre Ruhe* zu lesen, womit die Un-   40

schuld ein reines Herz zu belohnen pflegt. *(Sie tritt einen
Schritt zurück.)* Noch einmal, gnädige Frau. Ich bitte sehr
um Vergebung.

L a d y *(in großer innrer Bewegung herumgehend).* Unerträglich, daß sie *mir* das sagt! Unerträglicher, daß sie recht
hat! *(Zu Luisen tretend und ihr starr in die Augen sehend.)*
Mädchen, du wirst mich nicht überlisten. So warm sprechen *Meinungen* nicht. Hinter diesen Maximen lauert ein
feurigeres Interesse, das dir *meine* Dienste besonders abscheulich malt – das dein Gespräch so erhitzte – das ich
(drohend) entdecken muß.

L u i s e *(gelassen und edel).* Und *wenn* Sie es nun entdeck-
ten? Und wenn Ihr verächtlicher Fersenstoß den beleidig-
ten Wurm aufweckte, dem sein Schöpfer gegen Mißhand-
lung noch einen Stachel gab? – Ich fürchte Ihre Rache
nicht, Lady – Die arme Sünderin auf dem berüchtigten
Henkerstuhl lacht zu Weltuntergang. – Mein Elend ist so
hoch gestiegen, daß selbst Aufrichtigkeit es nicht mehr
vergrößern kann. *(Nach einer Pause, sehr ernsthaft.)* Sie
wollen mich aus dem Staub meiner Herkunft reißen. Ich
will sie nicht zergliedern, diese verdächtige Gnade. Ich
will nur fragen, was Mylady bewegen konnte, mich für
die Törin zu halten, die über ihre Herkunft errötet? Was
sie berechtigen konnte, sich zur Schöpferin meines Glücks
aufzuwerfen, ehe sie noch wußte, ob ich mein Glück auch
von *ihren* Händen empfangen wolle? – Ich hatte meinen
ewigen Anspruch auf die Freuden der Welt zerrissen. Ich
hatte dem Glück seine Übereilung vergeben – Warum
mahnen Sie mich aufs neu an dieselbe? – Wenn selbst die
Gottheit dem Blick der Erschaffenen ihre Strahlen ver-
birgt, daß nicht ihr oberster Seraph vor seiner Verfinste-
rung zurückschaue – warum wollen Menschen so grau-
sambarmherzig sein? – Wie kommt es, Mylady, daß Ihr
gepriesenes Glück das *Elend* so gern um Neid und Be-
wunderung anbettelt? – Hat Ihre Wonne die Verzweiflung so nötig zur Folie? – O lieber! So gönnen Sie mir
doch eine Blindheit, die mich allein noch mit meinem barbarischen Los versöhnt – Fühlt sich doch das Insekt in
einem Tropfen Wassers so selig, als wär' es ein Himmelreich, so froh und so selig, bis man ihm von einem Welt-

meer erzählt, worin Flotten und Walfische spielen! – – –
Aber *glücklich* wollen Sie mich ja wissen? *(Nach einer
Pause plötzlich zur Lady hintretend und mit Überraschung sie fragend.)* Sind *Sie* glücklich, Mylady? *(Diese
verläßt sie schnell und betroffen, Luise folgt ihr und hält* 5
ihr die Hand vor den Busen.) Hat dieses Herz auch die
lachende Gestalt Ihres Standes? Und wenn wir jetzt Brust
gegen Brust und Schicksal gegen Schicksal auswechseln
sollten – und wenn ich in kindlicher Unschuld – und wenn
ich auf Ihr Gewissen – und wenn ich als meine Mutter Sie 10
fragte – würden Sie mir wohl zu dem Tausche raten?
L a d y *(heftig bewegt in den Sofa sich werfend).* Unerhört!
Unbegreiflich! Nein, Mädchen! Nein! Diese Größe hast du
nicht auf die Welt gebracht, und für einen *Vater* ist sie zu
jugendlich. Lüge mir nicht. Ich höre einen *andern* Lehrer – 15
L u i s e *(fein und scharf ihr in die Augen sehend).* Es sollte
mich doch wundern, Mylady, wenn Sie *jetzt* erst auf diesen Lehrer fielen, und doch *vorhin* schon eine Kondition
für mich wußten.
L a d y *(springt auf).* Es ist nicht auszuhalten! – Ja denn! 20
weil ich dir doch nicht entwischen kann. Ich kenn ihn –
weiß alles – weiß mehr, als ich wissen mag. *(Plötzlich hält
sie inne, darauf mit einer Heftigkeit, die nach und nach
bis beinahe zum Toben steigt.)* Aber wag es, Unglückliche
– wag es, ihn jetzt noch zu lieben oder von ihm geliebt zu 25
werden – Was sage ich? – Wag es, an ihn zu denken oder
einer von *seinen* Gedanken zu sein – Ich bin *mächtig*, Unglückliche – *fürchterlich* – So wahr Gott lebt! du bist verloren!
L u i s e *(standhaft).* Ohne Rettung, Mylady, sobald Sie ihn 30
zwingen, daß er Sie *lieben* muß.
L a d y. Ich verstehe dich – aber er *soll* mich nicht lieben.
Ich will über diese schimpfliche Leidenschaft siegen, mein
Herz unterdrücken und das deinige zermalmen – Felsen
und Abgründe will ich zwischen euch werfen; eine Furie 35
will ich mitten durch euren Himmel gehn; mein Name
soll eure Küsse wie ein Gespenst Verbrecher auseinander-
scheuchen; deine junge blühende Gestalt unter seiner Umarmung welk wie eine Mumie zusammenfallen – Ich kann
nicht mit ihm glücklich werden – aber *du* sollst es auch 40

nicht werden – Wisse das, Elende! Seligkeit zerstören ist
auch Seligkeit.

L u i s e. Eine Seligkeit, um die man Sie schon gebracht hat,
Mylady. Lästern Sie Ihr eigenes Herz nicht. Sie sind nicht
fähig, das auszuüben, was Sie so drohend auf mich her-
abschwören. Sie sind nicht fähig, ein Geschöpf zu quälen,
das Ihnen nichts zuleide getan, als daß es empfinden hat
wie Sie – Aber ich liebe Sie um dieser Wallung willen,
Mylady.

L a d y *(die sich jetzt gefaßt hat)*. Wo bin ich? Wo war ich?
Was hab ich merken lassen? *Wen* hab ich's merken lassen?
– O Luise, edle, große, göttliche Seele! Vergib's einer Ra-
senden – Ich will dir kein Haar kränken, mein Kind.
Wünsche! Fodre! Ich will dich auf den Händen tragen,
deine Freundin, deine Schwester will ich sein – Du bist
arm – Sieh! *(Einige Brillanten herunternehmend.)* Ich will
diesen Schmuck verkaufen – meine Garderobe, Pferd und
Wagen verkaufen – *Dein* sei alles, aber entsag ihm!

L u i s e *(tritt zurück voll Befremdung).* Spottet sie einer
Verzweifelnden oder sollte sie an der barbarischen Tat im
Ernst keinen Anteil gehabt haben? – Ha! So könnt' ich
mir ja noch den Schein einer Heldin geben und meine
Ohnmacht zu einem Verdienst aufputzen. *(Sie steht eine
Weile gedankenvoll, dann tritt sie näher zur Lady, faßt
ihre Hand und sieht sie starr und bedeutend an.)* Nehmen
Sie ihn denn hin, Mylady! – *Freiwillig* tret ich Ihnen ab
den Mann, den man mit Haken der Hölle von meinem
blutenden Herzen riß. – – Vielleicht wissen Sie es selbst
nicht, Mylady, aber *Sie* haben den Himmel zweier Liebenden geschleift, voneinandergezerrt zwei Herzen, die
Gott aneinanderband; zerschmettert ein Geschöpf, das
ihm *naheging* wie Sie, das er zur Freude schuf wie Sie,
das ihn gepriesen hat wie Sie, und ihn nun nimmermehr
preisen wird – Lady! Ins Ohr des Allwissenden schreit
auch der letzte Krampf des zertretenen Wurms – Es wird
ihm nicht gleichgültig sein, wenn man Seelen in seinen
Händen mordet! Jetzt ist er *Ihnen!* Jetzt, Mylady, nehmen Sie ihn hin! Rennen Sie in seine Arme! Reißen Sie
ihn zum Altar – Nur vergessen Sie nicht, daß zwischen
Ihren Brautkuß das *Gespenst* einer *Selbstmörderin* stür-

zen wird – Gott wird barmherzig sein – Ich kann mir
nicht anders helfen! *(Sie stürzt hinaus.)*

ACHTE SZENE

L a d y *(allein, steht erschüttert und außer sich, den starren
Blick nach der Türe gerichtet, durch welche die Millerin*   5
weggeeilt; endlich erwacht sie aus ihrer Betäubung). Wie
war das? Wie geschah mir? Was sprach die Unglückliche?
– Noch, o Himmel! noch zerreißen sie mein Ohr, die
fürchterlichen, mich verdammenden Worte: *Nehmen Sie*
ihn hin! – Wen, Unglückselige? Das Geschenk deines   10
Sterberöchelns – das schauervolle Vermächtnis deiner Verzweiflung! Gott! Gott! Bin ich *so* tief gesunken – so plötzlich von allen Thronen meines Stolzes herabgestürzt, daß
ich heißhungrig erwarte, was einer Bettlerin Großmut aus
ihrem letzten Todeskampfe mir zuwerfen wird? – *Neh-*   15
men Sie ihn hin, und das spricht sie mit einem Tone, begleitet sie mit einem Blicke – – Ha! Emilie! bist du *darum*
über die Grenzen deines Geschlechts weggeschritten? Muß-
test du *darum* um den prächtigen Namen des großen britischen *Weibes* buhlen, daß das prahlende Gebäude deiner   20
Ehre neben der höheren Tugend einer verwahrlosten Bür-
gerdirne versinken soll? – Nein, stolze Unglückliche!
Nein! – *Beschämen* läßt sich Emilie Milford – doch *be-*
schimpfen nie! Auch ich habe Kraft, zu entsagen. *(Mit*
majestätischen Schritten auf und nieder.)   25
Verkrieche dich jetzt, weiches, leidendes Weib – Fahret
hin, süße goldene Bilder der Liebe – Großmut allein sei
jetzt meine Führerin! – – Dieses liebende Paar ist verloren, oder Milford muß ihren Anspruch vertilgen und im
Herzen des Fürsten erlöschen! *(Nach einer Pause, lebhaft.)*   30
– Es ist geschehen! – Gehoben das furchtbare Hindernis –
Zerbrochen alle Bande zwischen mir und dem Herzog,
gerissen aus meinem Busen diese wütende Liebe! – – In
deine Arme werf ich mich, Tugend! – Nimm sie auf, deine
reuige Tochter Emilie! – Ha! wie mir so wohl ist! Wie ich   35
auf einmal so leicht! so gehoben mich fühle! – Groß, wie
eine fallende Sonne, will ich heut vom Gipfel meiner Hoheit heruntersinken; meine Herrlichkeit sterbe mit meiner

Liebe, und nichts als mein *Herz* begleite mich in diese
stolze Verweisung. *(Entschlossen zum Schreibpult gehend.)*
Jetzt gleich muß es geschehen – jetzt auf der Stelle, ehe
die Reize des lieben Jünglings den blutigen Kampf meines Herzens erneuern. *(Sie setzt sich nieder und fängt an,*
zu schreiben.)

NEUNTE SZENE

Lady. Ein Kammerdiener. Sophie, hernach der Hofmar-
schall, zuletzt Bediente.

Kammerdiener. Hofmarschall von Kalb stehen im
Vorzimmer mit einem Auftrag vom Herzog.
Lady *(in der Hitze des Schreibens).* Auftaumeln wird sie,
die fürstliche Drahtpuppe! Freilich! der Einfall ist auch
drollig genug, so ihre durchlauchtige Hirnschale ausein-
anderzutreiben! – Seine Hofschranzen werden wirbeln –
Das ganze Land wird in Gärung kommen.
Kammerdiener und Sophie. Der Hofmarschall,
Mylady –
Lady *(dreht sich um).* Wer? Was? – Desto besser! Diese
Sorte von Geschöpfen ist zum Sacktragen auf der Welt.
Er soll mir willkommen sein.
Kammerdiener *(geht ab).*
Sophie *(ängstlich näher kommend).* Wenn ich nicht
fürchten müßte, Mylady, es wäre Vermessenheit – *(Lady*
schreibt hitzig fort.) Die Millerin stürzte außer sich durch
den Vorsaal – Sie glühen – Sie sprechen mit sich selbst –
(Lady schreibt immer fort.) Ich erschrecke – Was muß ge-
schehen sein?
Hofmarschall *(tritt herein, macht dem Rücken der*
Lady tausend Verbeugungen; da sie ihn nicht bemerkt,
kommt er näher, stellt sich hinter ihren Sessel, sucht den
Zipfel ihres Kleids wegzukriegen und drückt einen Kuß
darauf, mit furchtsamem Lispeln). Serenissimus –
Lady *(indem sie Sand streut und das Geschriebene durch-*
fliegt). Er wird mir schwarzen Undank zur Last legen –
Ich war eine Verlassene. Er hat mich aus dem Elend gezogen – Aus dem Elend? – Abscheulicher Tausch! – Zer-

reiße deine Rechnung, Verführer! Meine ewige *Schamröte*
bezahlt sie mit Wucher.

H o f m a r s c h a l l *(nachdem er die Lady vergeblich von*
allen Seiten umgangen hat). Mylady scheinen etwas distrait zu sein – Ich werde mir wohl selbst die Kühnheit er- 5
lauben müssen. *(Sehr laut.)* Serenissimus schicken mich,
Mylady zu fragen, ob diesen Abend Vauxhall sein werde
oder teutsche Komödie?

L a d y *(lachend aufstehend).* Eins von beiden, mein Engel
– Unterdessen bringen Sie Ihrem Herzog diese Karte zum 10
Dessert! *(Gegen Sophien.)* Du, Sophie, befiehlst, daß man
anspannen soll, und rufst meine ganze Garderobe in diesen Saal zusammen. –

S o p h i e *(geht ab voll Bestürzung).* O Himmel! Was ahndet mir? Was wird das noch werden? 15

H o f m a r s c h a l l. Sie sind echauffiert, meine Gnädige?

L a d y. Um so weniger wird hier gelogen sein – Hurra,
Herr Hofmarschall! Es wird eine Stelle vakant. Gut Wetter für Kuppler! *(Da der Marschall einen zweifelhaften*
Blick auf den Zettel wirft.) Lesen Sie, lesen Sie! – Es ist 20
mein Wille, daß der Inhalt nicht unter vier Augen bleibe.

H o f m a r s c h a l l *(liest, unterdessen sammeln sich die Be-*
dienten der Lady im Hintergrund).

 »Gnädigster Herr!
Ein Vertrag, den *Sie* so leichtsinnig brachen, kann *mich* 25
nicht mehr binden. Die Glückseligkeit Ihres Landes war
die Bedingung meiner Liebe. Drei Jahre währte der Betrug. Die Binde fällt mir von den Augen. Ich verabscheue
Gunstbezeugungen, die von den Tränen der Untertanen
triefen. – Schenken Sie die Liebe, die *ich* Ihnen nicht mehr 30
erwidern kann, Ihrem weinenden Lande und lernen von
einer *britischen Fürstin* Erbarmen gegen Ihr *teutsches*
Volk. In einer Stunde bin ich über der Grenze.

                                        Johanna Norfolk.«
A l l e B e d i e n t e *(murmeln bestürzt durcheinander).* Über 35
der Grenze?

H o f m a r s c h a l l *(legt die Karte erschrocken auf den*
Tisch). Behüte der Himmel, meine Beste und Gnädige!
Dem Überbringer müßte der Hals ebenso jücken als der
Schreiberin. 40

L a d y. Das ist deine Sorge, du Goldmann – Leider weiß
ich es, daß du und deinesgleichen am Nachbeten dessen,
was andre getan haben, erwürgen! – *Mein* Rat wäre, man
backte den Zettel in eine Wildbretpastete, so fänden ihn
5 Serenissimus auf dem Teller –
H o f m a r s c h a l l. Ciel! Diese Vermessenheit! – So er-
wägen Sie doch, so bedenken Sie doch, wie sehr Sie sich
in Disgrace setzen, Lady!
L a d y *(wendet sich zu der versammelten Dienerschaft und*
10 *spricht das folgende mit der innigsten Rührung).* Ihr steht
bestürzt, guten Leute, erwartet angstvoll, wie sich das
Rätsel entwickeln wird? – Kommt näher, meine Lieben –
Ihr dientet mir redlich und warm, sahet mir öfter in die
Augen als in die Börse, euer Gehorsam war eure Leiden-
15 schaft, euer Stolz – meine Gnade! – – Daß das Andenken
eurer Treue zugleich das Gedächtnis meiner Erniedrigung
sein muß! Trauriges Schicksal, daß meine schwärzesten
Tage eure glücklichen waren! *(Mit Tränen in den Augen.)*
Ich entlasse euch, meine Kinder – – Lady Milford ist nicht
20 mehr, und Johanna von Norfolk zu arm, ihre Schuld ab-
zutragen – Mein Schatzmeister stürze meine Schatulle
unter euch – Dieser Palast bleibt dem Herzog – Der Ärm-
ste von euch wird reicher von hinnen gehen als seine Ge-
bieterin. *(Sie reicht ihre Hände hin, die alle nacheinander*
25 *mit Leidenschaft küssen.)* Ich verstehe euch, meine Guten
– Lebt wohl! Lebt ewig wohl! *(Faßt sich aus ihrer Be-
klemmung.)* Ich höre den Wagen vorfahren. *(Sie reißt sich
los, will hinaus, der Hofmarschall verrennt ihr den Weg.)*
Mann des Erbarmens, stehst du noch immer da?
30 H o f m a r s c h a l l *(der diese ganze Zeit über mit einem
Geistesbankerott auf den Zettel sah).* Und dieses Billet
soll ich Seiner Hochfürstlichen Durchlaucht zu Höchsteigenen Händen geben?
L a d y. Mann des Erbarmens! zu Höchsteigenen Händen,
35 und sollst melden zu Höchsteigenen Ohren, weil ich nicht
barfuß nach Loretto könne, so werde ich um den Taglohn
arbeiten, mich zu reinigen von dem Schimpf, ihn be-
herrscht zu haben.
(Sie eilt ab. Alle übrigen gehen sehr bewegt auseinander.)

FÜNFTER AKT

Abends zwischen Licht, in einem Zimmer beim Musikanten.

ERSTE SZENE

Luise sitzt stumm und ohne sich zu rühren in dem finstersten Winkel des Zimmers, den Kopf auf den Arm gesunken. Nach einer großen und tiefen Pause kommt Miller mit einer Handlaterne, leuchtet ängstlich im Zimmer herum, ohne Luisen zu bemerken, dann legt er den Hut auf den Tisch und setzt die Laterne nieder.

M i l l e r. Hier ist sie auch nicht. Hier wieder nicht – Durch alle Gassen bin ich gezogen, bei allen Bekannten bin ich gewesen, auf allen Toren hab ich gefragt – Mein Kind hat man nirgends gesehen. *(Nach einigem Stillschweigen.)* Geduld, armer unglücklicher Vater. Warte ab, bis es morgen wird. Vielleicht kommt deine Einzige dann ans Ufer geschwommen – – Gott! Gott! Wenn ich mein Herz zu abgöttisch an diese Tochter hing? – *Die* Strafe ist hart. Himmlischer Vater, hart! Ich will nicht murren, himmlischer Vater, aber die Strafe ist hart. *(Er wirft sich gramvoll in einen Stuhl.)*

L u i s e *(spricht aus dem Winkel).* Du tust recht, armer alter Mann! Lerne bei Zeit noch verlieren.

M i l l e r *(springt auf).* Bist du da, mein Kind? Bist du? – Aber warum denn so einsam und ohne Licht?

L u i s e. Ich bin darum doch nicht einsam. Wenn's so recht schwarz wird um mich herum, hab ich meine besten Besuche.

M i l l e r. Gott bewahre dich! Nur der Gewissenswurm schwärmt mit der Eule. Sünden und böse Geister scheuen das Licht.

L u i s e. Auch die *Ewigkeit*, Vater, die mit der Seele ohne Gehilfen redet.

M i l l e r. Kind! Kind! Was für Reden sind das?

L u i s e *(steht auf und kommt vorwärts).* Ich hab einen harten Kampf gekämpft. Er weiß es, Vater. Gott gab mir

Kraft. Der Kampf ist entschieden. Vater! man pflegt
unser Geschlecht zart und zerbrechlich zu nennen. Glaub
Er das nicht mehr. Vor einer Spinne schütteln wir uns,
aber das schwarze Ungeheuer *Verwesung* drücken wir im
5 Spaß in die Arme. Dieses zur Nachricht, Vater. Seine
Luise ist lustig.

M i l l e r. Höre, Tochter! Ich wollte, du heultest. Du ge-
fielst mir so besser.

L u i s e. Wie ich ihn überlisten will, Vater! Wie ich den
10 Tyrannen betrügen will! – Die Liebe ist schlauer als die
Bosheit und kühner – das hat er nicht gewußt, der Mann
mit dem traurigen Stern – Oh! sie sind pfiffig, solang sie
es nur mit dem Kopf zu tun haben; aber sobald sie mit
dem Herzen anbinden, werden die Böswichter dumm – –
15 Mit einem Eid gedachte er seinen Betrug zu versiegeln?
Eide, Vater, binden wohl die Lebendigen; im Tode
schmilzt auch der Sakramente eisernes Band. Ferdinand
wird seine Luise kennen – Will Er mir dies Billet besorgen, Vater? Will Er so gut sein?

20 M i l l e r. An wen, meine Tochter?

L u i s e. Seltsame Frage! Die Unendlichkeit und mein Herz
haben miteinander nicht Raum genug für einen einzigen
Gedanken an *ihn* – Wenn hätt' ich denn wohl an sonst
jemand schreiben sollen?

25 M i l l e r *(unruhig)*. Höre, Luise! Ich erbreche den Brief.

L u i s e. Wie Er will, Vater – aber Er wird nicht klug daraus werden. Die Buchstaben liegen wie kalte Leichname
da und leben nur Augen der Liebe.

M i l l e r *(liest)*. »Du bist verraten, Ferdinand – ein Buben-
30 stück ohne Beispiel zerriß den Bund unsrer Herzen, aber
ein schröcklicher Schwur hat meine Zunge gebunden, und
dein Vater hat überall seine Horcher gestellt. Doch wenn
du Mut hast, Geliebter – ich weiß einen *dritten* Ort, wo
kein Eidschwur mehr bindet und wohin ihm kein Horcher
35 geht.« *(Miller hält inne und sieht ihr ernsthaft ins Gesicht.)*

L u i s e. Warum sieht Er mich so an? Les Er doch ganz aus,
Vater.

M i l l e r. »Aber Mut genug mußt du haben, eine finstre
40 Straße zu wandeln, wo dir nichts leuchtet als deine Luise

und Gott – Ganz nur *Liebe* mußt du kommen, daheim
lassen all deine Hoffnungen und alle deine brausenden
Wünsche; nichts kannst du brauchen als dein Herz. Willst
du – so brich auf, wenn die Glocke den zwölften Streich
tut auf dem Karmeliterturm. Bangt dir – so durchstreiche   5
das Wort *stark* vor deinem Geschlechte, denn ein Mädchen
hat dich zuschanden gemacht.« *(Miller legt das Billet nieder, schaut lange mit einem schmerzlichen starren Blick
vor sich hinaus, endlich kehrt er sich gegen sie und sagt
mit leiser gebrochener Stimme.)* Und dieser dritte Ort,   10
meine Tochter?

L u i s e. Er kennt ihn nicht, Er kennt ihn wirklich nicht,
Vater? – Sonderbar! Der Ort ist zum Finden gemalt. Ferdinand wird ihn finden.

M i l l e r. Hum! Rede deutlicher.   15

L u i s e. Ich weiß soeben kein liebliches Wort dafür – Er
muß nicht erschrecken, Vater, wenn ich Ihm ein häßliches
nenne. Dieser Ort – O warum hat die Liebe nicht Namen
erfunden! Den schönsten hätte sie diesem gegeben. Der
dritte Ort, guter Vater – aber Er muß mich ausreden las-   20
sen – Der dritte Ort ist das Grab.

M i l l e r *(zu einem Sessel hinwankend).* O mein Gott!

L u i s e *(geht auf ihn zu und hält ihn).* Nicht doch, mein
Vater! Das sind nur Schauer, die sich um das Wort herum
lagern – Weg mit diesem, und es liegt ein Brautbette da,   25
worüber der Morgen seinen goldenen Teppich breitet und
die Frühlinge ihre bunte Girlanden streuen. Nur ein heu-
lender Sünder konnte den Tod ein Gerippe schelten; es ist
ein holder niedlicher Knabe, blühend, wie sie den Liebesgott malen, aber so tückisch nicht – ein stiller dienstbarer 30
Genius, der der erschöpften Pilgerin Seele den Arm bietet
über den Graben der Zeit, das Feenschloß der ewigen
Herrlichkeit aufschließt, freundlich nickt und verschwin-
det.

M i l l e r. Was hast du vor, meine Tochter? – Du willst   35
eigenmächtig Hand an dich legen.

L u i s e. Nenn Er es nicht so, mein Vater. Eine Gesellschaft
räumen, wo ich nicht wohl gelitten bin – An einen Ort
vorausspringen, den ich nicht länger missen kann – Ist
denn das Sünde?   40

M i l l e r. Selbstmord ist die abscheulichste, mein Kind –
die einzige, die man nicht mehr bereuen kann, weil Tod
und Missetat zusammenfallen.

L u i s e *(bleibt erstarrt stehn).* Entsetzlich! – Aber so rasch
wird es doch nicht gehn. Ich will in den Fluß springen,
Vater, und im *Hinuntersinken* Gott den Allmächtigen um
Erbarmen bitten.

M i l l e r. Das heißt, du willst den Diebstahl bereuen, sobald du das Gestohlene in Sicherheit weißt – Tochter!
Tochter! gib acht, daß du Gottes nicht spottest, wenn du
seiner am meisten vonnöten hast. Oh! es ist weit, weit mit
dir gekommen! – Du hast dein Gebet aufgegeben, und der
Barmherzige zog seine Hand von dir.

L u i s e. Ist *lieben* denn Frevel, mein Vater?

M i l l e r. Wenn du Gott liebst, wirst du nie bis zum Frevel
lieben – – Du hast mich tief gebeugt, meine Einzige! tief,
tief, vielleicht zur Grube gebeugt. – Doch! ich will dir
dein Herz nicht *noch* schwerer machen – Tochter! ich
sprach vorhin etwas. Ich glaubte allein zu sein. Du hast
mich behorcht, und warum sollt' ich's noch länger geheim-
halten? Du warst mein Abgott. Höre, Luise, wenn du
noch Platz für das Gefühl eines Vaters hast – Du warst
mein alles. Jetzt vertust du nicht mehr von deinem Eigen-
tum. Auch ich hab alles zu verlieren. Du siehst, mein Haar
fängt an, grau zu werden. Die Zeit meldet sich allgemach
bei mir, wo uns Vätern die Kapitale zustatten kommen,
die wir im Herzen unsrer Kinder anlegten – Wirst du mich
darum betrügen, Luise? Wirst du dich mit dem Hab und
Gut deines Vaters auf und davon machen?

L u i s e *(küßt seine Hand mit der heftigsten Rührung).*
Nein, mein Vater. Ich gehe als Seine große Schuldnerin
aus der Welt und werde in der Ewigkeit mit Wucher be-
zahlen.

M i l l e r. Gib acht, ob du dich da nicht verrechnest, mein
Kind? *(Sehr ernst und feierlich.)* Werden wir uns dort
wohl noch finden? – – Sieh! wie du blaß wirst! – Meine
Luise begreift es von selbst, daß ich sie in jener Welt nicht
mehr wohl einholen kann, weil ich nicht so *früh* dahin
eile wie sie – *(Luise stürzt ihm in den Arm, von Schauern
ergriffen – Er drückt sie mit Feuer an seine Brust und*

fährt fort mit beschwörender Stimme) o Tochter! Tochter!
Gefallene, vielleicht schon verlorene Tochter! Beherzige
das ernsthafte Vaterwort! Ich kann nicht über dich
wachen. Ich kann dir die Messer nehmen, du kannst dich
mit einer Stricknadel töten. Für Gift kann ich dich be-   5
wahren, du kannst dich mit einer Schnur Perlen erwürgen.
– Luise – Luise – nur *warnen* kann ich dich noch – Willst
du es darauf ankommen lassen, daß dein treuloses Gaukelbild auf der schröcklichen Brücke zwischen Zeit und Ewigkeit von dir weiche? Willst du dich vor des Allwissenden   10
Thron mit der Lüge wagen: *Deinetwegen*, Schöpfer, bin
ich da! – wenn deine strafbare Augen ihre sterbliche Puppe
suchen? – Und wenn dieser zerbrechliche Gott deines Gehirns, jetzt Wurm wie du, zu den Füßen deines Richters
sich windet, deine gottlose Zuversicht in diesem schwan-   15
kenden Augenblick Lügen straft und deine betrogene
Hoffnungen an die ewige Erbarmung verweist, die der
Elende für sich selbst kaum erflehen kann – Wie dann?
(Nachdrücklicher, lauter.) Wie dann, Unglückselige? *(Er
hält sie fester, blickt sie eine Weile starr und durchdrin-*   20
gend an, dann verläßt er sie schnell.) Jetzt weiß ich nichts
mehr – *(mit aufgehobener Rechte)* stehe dir, Gott Richter!
für diese Seele nicht mehr. Tu, was du willst. Bring deinem
schlanken Jüngling ein Opfer, daß deine Teufel jauchzen
und deine guten Engel zurücktreten – Zieh hin! Lade alle   25
deine Sünden auf, lade auch diese, die letzte, die entsetz-
lichste auf, und wenn die Last noch zu leicht ist, so mache
mein Fluch das Gewicht vollkommen – Hier ist ein Messer – durchstich dein Herz, und *(indem er laut weinend
fortstürzen will)* das Vaterherz!   30
L u i s e *(springt auf und eilt ihm nach).* Halt! Halt! O mein
Vater! – Daß die Zärtlichkeit noch barbarischer zwingt
als Tyrannenwut! – Was soll ich? Ich kann nicht! Was
muß ich tun?
M i l l e r. Wenn die Küsse deines Majors heißer brennen   35
als die Tränen deines Vaters – stirb!
L u i s e *(nach einem qualvollen Kampf mit einiger Festig-*
keit). Vater! Hier ist meine Hand! Ich will – Gott! Gott!
was tu ich? was will ich? – Vater, ich schwöre – Wehe mir,
wehe! Verbrecherin, wohin ich mich neige! – Vater, es sei! 40

– Ferdinand – Gott sieht herab! – So zernicht ich sein
letztes Gedächtnis. *(Sie zerreißt ihren Brief.)*

M i l l e r *(stürzt ihr freudetrunken an den Hals).* Das ist
meine Tochter! – Blick auf! Um einen Liebhaber bist du
5 leichter, dafür hast du einen glücklichen Vater gemacht.
(Unter Lachen und Weinen sie umarmend.) Kind! Kind!
das ich den Tag meines Lebens nicht wert war! Gott weiß,
wie ich schlechter Mann zu diesem Engel gekommen bin! –
Meine Luise, mein Himmelreich! – O Gott! ich verstehe ja
10 wenig vom Lieben, aber daß es eine Qual sein muß, auf-
zuhören – so was begreif ich noch.

L u i s e. Doch hinweg aus dieser Gegend, mein Vater – Weg
von der Stadt, wo meine Gespielinnen meiner spotten und
mein guter Name dahin ist auf immerdar – Weg, weg,
15 weit weg von dem Ort, wo mich so viele Spuren der ver-
lorenen Seligkeit anreden – Weg, wenn es möglich ist –

M i l l e r. Wohin du nur willst, meine Tochter. Das Brot
unsers Herrgotts wächst überall, und Ohren wird er auch
meiner Geige bescheren. Ja! Laß auch alles dahingehn –
20 Ich setze die Geschichte deines Grams auf die Laute, singe
dann ein Lied von der Tochter, die, ihren Vater zu ehren,
ihr Herz zerriß – wir betteln mit der Ballade von Türe
zu Türe, und das Almosen wird köstlich schmecken von
den Händen der Weinenden –

25 ZWEITE SZENE

Ferdinand zu den Vorigen.

L u i s e *(wird ihn zuerst gewahr und wirft sich Millern laut
schreiend um den Hals).* Gott! Da ist er! Ich bin verloren.

M i l l e r. Wo? Wer?

30 L u i s e *(zeigt mit abgewandtem Gesicht auf den Major und
drückt sich fester an ihren Vater).* Er! Er selbst – Seh Er
nur um sich, Vater – Mich zu ermorden, ist er da.

M i l l e r *(erblickt ihn, fährt zurück).* Was? Sie hier, Baron?

F e r d i n a n d *(kommt langsam näher, bleibt Luisen gegen-
35 über stehn und läßt den starren forschenden Blick auf ihr
ruhen, nach einer Pause).* Überraschtes Gewissen, habe
Dank! Dein Bekenntnis ist schrecklich, aber schnell und

gewiß, und erspart mir die Folterung. – Guten Abend,
Miller.

M i l l e r. Aber um Gottes willen! Was wollen Sie, Baron?
Was führt Sie her? Was soll dieser Überfall?

F e r d i n a n d. Ich weiß eine Zeit, wo man den Tag in 5
seine Sekunden zerstückte, wo Sehnsucht nach mir sich an
die Gewichte der zögernden Wanduhr hing und auf den
Aderschlag lauerte, unter dem ich erscheinen sollte – Wie
kommt's, daß ich jetzt überrasche?

M i l l e r. Gehen Sie, gehen Sie, Baron – Wenn noch ein 10
Funke von Menschlichkeit in Ihrem Herzen zurückblieb –
Wenn Sie die nicht erwürgen wollen, die Sie zu lieben
vorgeben, fliehen Sie, bleiben Sie keinen Augenblick län-
ger. Der Segen war fort aus meiner Hütte, sobald *Sie*
einen Fuß darein setzten. *Sie* haben das Elend unter mein 15
Dach gerufen, wo sonst nur die Freude zu Hause war.
Sind Sie *noch* nicht zufrieden? Wollen Sie auch in der
Wunde noch *wühlen*, die Ihre unglückliche Bekanntschaft
meinem einzigen Kinde schlug?

F e r d i n a n d. Wunderlicher Vater, jetzt komm ich ja, dei- 20
ner Tochter etwas Erfreuliches zu sagen.

M i l l e r. Neue Hoffnungen etwa zu einer neuen Verzweiflung? – Geh, Unglücksbote! Dein Gesicht schimpft
deine Ware.

F e r d i n a n d. Endlich ist es erschienen, das Ziel meiner 25
Hoffnungen! Lady Milford, das furchtbarste Hindernis
unsrer Liebe, floh diesen Augenblick aus dem Lande. Mein
Vater billigt meine Wahl. Das Schicksal läßt nach, uns zu
verfolgen. Unsre glücklichen Sterne gehen auf – Ich bin
jetzt da, mein gegebenes Wort einzulösen und meine Braut 30
zum Altar abzuholen.

M i l l e r. Hörst du ihn, meine Tochter? Hörst du ihn sein
Gespötte mit deinen getäuschten Hoffnungen treiben? O
wahrlich, Baron! es steht dem Verführer so schön, an seinem Verbrechen seinen Witz noch zu kitzeln. 35

F e r d i n a n d. Du glaubst, ich scherze. Bei meiner Ehre
nicht! Meine Aussage ist *wahr*, wie die Liebe meiner Luise,
und heilig will ich sie halten, wie *sie* ihre Eide – Ich kenne
nichts Heiligers – Noch zweifelst du? Noch kein freudiges
Erröten auf den Wangen meiner schönen Gemahlin? Son- 40

derbar! Die Lüge muß hier gangbare Münze sein, wenn
die Wahrheit so wenig Glauben findet. Ihr mißtraut meinen Worten? So glaubt diesem schriftlichen Zeugnis. *(Er
wirft Luisen den Brief an den Marschall zu.)*

5 L u i s e *(schlägt ihn auseinander und sinkt leichenblaß nieder).*

M i l l e r *(ohne das zu bemerken, zum Major).* Was soll das
bedeuten, Baron? Ich verstehe Sie nicht.

F e r d i n a n d *(führt ihn zu Luisen hin).* Desto besser hat
10 mich *diese* verstanden!

M i l l e r *(fällt an ihr nieder).* O Gott! meine Tochter!

F e r d i n a n d. Bleich wie der Tod! – Jetzt erst gefällt sie
mir, deine Tochter! So wie sie nie, die fromme
rechtschaffne Tochter – Mit diesem Leichengesicht – – Der
15 Odem des Weltgerichts, der den Firnis von jeder Lüge
streift, hat jetzt die Schminke verblasen, womit die Tau-
sendkünstlerin auch die Engel des Lichts hintergangen hat
– Es ist ihr schönstes Gesicht! Es ist ihr *erstes wahres* Gesicht! Laß mich es küssen. *(Er will auf sie zugehen.)*

20 M i l l e r. Zurück! Weg! Greife nicht an das Vaterherz,
Knabe! Vor deinen Liebkosungen konnt' ich sie nicht be-
wahren, aber ich kann es vor deinen Mißhandlungen.

F e r d i n a n d. Was willst du, Graukopf? Mit dir hab ich
nichts zu schaffen. Menge dich ja nicht in ein Spiel, das so
25 offenbar verloren ist – oder bist du auch vielleicht klüger,
als ich dir zugetraut habe? Hast du die Weisheit deiner
sechzig Jahre zu den Buhlschaften deiner Tochter geborgt
und dies ehrwürdige Haar mit dem Gewerb eines Kupp-
lers geschändet? – Oh! wenn das *nicht* ist, unglücklicher
30 alter Mann, lege dich nieder und stirb – Noch ist es Zeit.
Noch kannst du in dem süßen Taumel entschlafen: Ich
war ein glücklicher Vater! – einen Augenblick später, und
du schleuderst die giftige Natter ihrer höllischen Heimat
zu, verflucht das Geschenk und den Geber und fährst mit
35 der Gotteslästerung in die Grube. *(Zu Luisen.)* Sprich,
Unglückselige! Schriebst du diesen Brief?

M i l l e r *(warnend zu Luisen).* Um Gottes willen, Tochter!
Vergiß nicht! Vergiß nicht!

L u i s e. O dieser Brief, mein Vater –

40 F e r d i n a n d. Daß er in die unrechte Hände fiel? – Ge-

priesen sei mir der Zufall, er hat größere Taten getan als
die klügelnde Vernunft und wird besser bestehn an jenem
Tag als der Witz aller Weisen – Zufall, sage ich? – O die
Vorsehung ist dabei, wenn Sperlinge fallen, warum nicht,
wo ein Teufel entlarvt werden soll? – Antwort will ich! 5
– Schreibst du diesen Brief?

M i l l e r *(seitwärts zu ihr mit Beschwörung).* Standhaft!
Standhaft, meine Tochter! Nur noch das einzige *Ja,* und
alles ist überwunden.

F e r d i n a n d. Lustig! Lustig! Auch der Vater betrogen. 10
Alles betrogen! Nun sieh, wie sie dasteht, die Schändliche,
und selbst ihre Zunge nun ihrer letzten Lüge den Gehorsam aufkündigt! Schwöre bei Gott! bei dem fürchterlich
wahren! Schriebst du diesen Brief?

L u i s e *(nach einem qualvollen Kampf, worin sie durch* 15
Blicke mit ihrem Vater gesprochen hat, fest und entschei-
dend). Ich schrieb ihn.

F e r d i n a n d *(bleibt erschrocken stehen).* Luise! – Nein!
So wahr meine Seele lebt! du lügst – Auch die Unschuld
bekennt sich auf der Folterbank zu Freveln, die sie nie 20
beging – Ich fragte zu heftig – Nicht wahr, Luise – du
bekanntest nur, weil ich zu heftig fragte?

L u i s e. Ich bekannte, was wahr ist.

F e r d i n a n d. Nein, sag ich! Nein! Nein! Du schreibst
nicht. Es ist deine Hand gar nicht – Und wäre sie's, war- 25
um sollten Handschriften schwerer nachzumachen sein, als
Herzen zu verderben? Rede mir wahr, Luise – oder nein,
nein, tu es nicht, du könntest ja sagen, und ich wär' verloren – Eine Lüge, Luise – eine Lüge – O wenn du jetzt
eine wüßtest, mir hinwürfest mit der offenen Engelmiene, 30
nur mein Ohr, nur mein Aug' überredetest, dieses Herz
auch noch so abscheulich täuschtest – O Luise! Alle Wahrheit möchte dann mit *diesem* Hauch aus der Schöpfung
wandern und die gute Sache ihren starren Hals von nun
an zu einem höfischen Bückling beugen! *(Mit scheuem be-* 35
bendem Ton.) Schriebst du diesen Brief?

L u i s e. Bei Gott! Bei dem fürchterlich wahren! Ja!

F e r d i n a n d *(nach einer Pause, im Ausdruck des tiefsten*
Schmerzens). Weib! Weib! – Das Gesicht, mit dem du *jetzt*
vor mir stehst! – Teile mit diesem Gesicht Paradiese aus, 40

du wirst selbst im Reich der Verdammnis keinen Käufer
finden – Wußtest du, was du mir warest, Luise? Ohnmöglich! Nein! Du wußtest nicht, daß du mir *alles* warst!
Alles! – Es ist ein armes verächtliches Wort, aber die
Ewigkeit hat Mühe, es zu umwandern; Weltsysteme voll-
enden ihre Bahnen darin – Alles! Und so frevelhaft damit
zu spielen – O es ist schrecklich –

L u i s e. Sie haben mein Geständnis, Herr von Walter. Ich
habe mich selbst verdammt. Gehen Sie nun! Verlassen Sie
ein Haus, wo Sie so unglücklich waren.

F e r d i n a n d. Gut! Gut! Ich bin ja ruhig – ruhig, sagt
man ja, ist auch der schaudernde Strich Landes, worüber
die Pest ging – ich bin's. *(Nach einigem Nachdenken.)*
Noch eine Bitte, Luise – die letzte! Mein Kopf brennt so
fieberisch. Ich brauche Kühlung – Willst du mir ein Glas
Limonade zurechtmachen?

(Luise geht ab.)

DRITTE SZENE

Ferdinand und Miller.

*(Beide gehen, ohne ein Wort zu reden, einige Pausen lang
auf den entgegengesetzten Seiten des Zimmers auf und ab.)*

M i l l e r *(bleibt endlich stehen und betrachtet den Major
mit trauriger Miene).* Lieber Baron, kann es Ihren Gram
vielleicht mindern, wann ich Ihnen gestehe, daß ich Sie
herzlich bedaure?

F e r d i n a n d. Laß Er es gut sein, Miller. *(Wieder einige
Schritte.)* Miller, ich weiß nur kaum noch, wie ich in Sein
Haus kam – Was war die Veranlassung?

M i l l e r. Wie, Herr Major? Sie wollten ja Lektion auf der
Flöte bei mir nehmen? Das wissen Sie nicht mehr?

F e r d i n a n d *(rasch).* Ich sah Seine Tochter. *(Wiederum
einige Pausen.)* Er hat nicht Wort gehalten, Freund. Wir
akkordierten *Ruhe* für meine einsame Stunden. Er betrog
mich und verkaufte mir Skorpionen. *(Da er Millers Bewegung sieht.)* Nein! Erschrick nur nicht, alter Mann. *(Gerührt an seinem Hals.)* Du bist nicht schuldig.

M i l l e r *(die Augen wischend).* Das weiß der allwissende
Gott!

F e r d i n a n d *(aufs neue hin und her, in düstres Grübeln
versunken).* Seltsam, o unbegreiflich seltsam spielt Gott
mit uns. An dünnen unmerkbaren Seilen hängen oft   5
fürchterliche Gewichte – Wüßte der Mensch, daß er an
diesem Apfel den Tod essen sollte – Hum! – wüßte er
das? *(Heftiger auf und nieder, dann Millers Hand mit
starker Bewegung fassend.)* Mann! ich bezahle dir dein
bißchen Flöte zu teuer – – und du gewinnst nicht einmal –   10
auch du verlierst – verlierst vielleicht alles. *(Gepreßt von
ihm weggehend.)* Unglückseliges Flötenspiel, das mir nie
hätte einfallen sollen.

M i l l e r *(sucht seine Rührung zu verbergen).* Die Limonade
bleibt auch gar zu lang außen. Ich denke, ich sehe nach,   15
wenn Sie mir's nicht für übelnehmen –

F e r d i n a n d. Es eilt nicht, lieber Miller – *(vor sich hinmurmelnd)* zumal für den Vater nicht – Bleib Er nur –
Was hatt' ich doch fragen wollen? – Ja! – Ist Luise Seine
einzige Tochter? Sonst hat Er keine Kinder mehr?   20

M i l l e r *(warm).* Habe sonst keins mehr, Baron – wünsch
mir auch keins mehr. Das Mädel ist just so recht, mein
ganzes Vaterherz einzustecken – hab meine ganze Barschaft von Liebe an der Tochter schon zugesetzt.

F e r d i n a n d *(heftig erschüttert).* Ha! – – Seh Er doch   25
lieber nach dem Trank, guter Miller.

(Miller geht ab.)

VIERTE SZENE

F e r d i n a n d *(allein).* Das einzige Kind! – Fühlst du das,
Mörder? Das einzige! Mörder! hörst du, das einzige? –   30
Und der Mann hat auf der großen Welt Gottes nichts als
sein Instrument und das einzige – Du willst's ihm rauben?

Rauben? – Rauben den letzten Notpfenning einem Bettler? Die Krücke zerbrochen vor die Füße werfen dem   35
Lahmen? Wie? Hab ich auch Brust für das? – – Und wenn
er nun heimeilt und nicht erwarten kann, die ganze Sum-

me seiner Freuden vom Gesicht dieser Tochter herunter-
zuzählen, und hereintritt und sie daliegt, die Blume –
welk – tot – zertreten, mutwillig, die letzte, einzige, un-
überschwengliche Hoffnung – Ha, und er dasteht vor ihr,
und dasteht und ihm die ganze Natur den lebendigen
Odem anhält, und sein erstarrter Blick die entvölkerte
Unendlichkeit fruchtlos durchwandert, Gott sucht und
Gott nicht mehr finden kann und leerer zurückkommt – –
Gott! Gott! aber auch *mein* Vater hat diesen einzigen
Sohn – den einzigen Sohn, doch nicht den einzigen Reichtum – *(Nach einer Pause.)* Doch wie? was verliert er denn?
Das Mädchen, dem die heiligsten Gefühle der Liebe nur
Puppen waren, wird es den Vater glücklich machen kön-
nen? – Es wird nicht! Es wird nicht! Und ich verdiene
noch Dank, daß ich die Natter zertrete, ehe sie auch noch
den Vater verwundet.

FÜNFTE SZENE

Miller, der zurückkommt, und Ferdinand.

M i l l e r. Gleich sollen Sie bedient sein, Baron. Draußen sitzt
das arme Ding und will sich zu Tode weinen. Sie wird
Ihnen mit der Limonade auch Tränen zu trinken geben.
F e r d i n a n d. Und wohl, wenn's nur Tränen wären! – –
Weil wir vorhin von der Musik sprachen, Miller – *(Eine
Börse ziehend.)* Ich bin noch Sein Schuldner.
M i l l e r. Wie? Was? Gehen Sie mir, Baron! Wofür halten
Sie mich? Das steht ja in guter Hand, tun Sie mir doch
den Schimpf nicht an, und sind wir ja, will's Gott, nicht
das letztemal beieinander.
F e r d i n a n d. Wer kann das wissen? Nehm Er nur. Es ist
für Leben und Sterben.
M i l l e r *(lachend).* O deswegen, Baron! Auf *den* Fall, denk
ich, kann man's wagen bei Ihnen.
F e r d i n a n d. Man wagte wirklich – Hat Er nie gehört,
daß Jünglinge gefallen sind – Mädchen und Jünglinge, die
Kinder der Hoffnung, die Luftschlösser betrogener Väter
– Was Wurm und Alter nicht tun, kann oft ein Donnerschlag ausrichten – Auch Seine Luise ist nicht unsterblich.

M i l l e r. Ich hab sie von Gott.

F e r d i n a n d. Hör Er – Ich sag Ihm, sie ist nicht unsterblich. Diese Tochter ist Sein Augapfel. Er hat sich mit Herz
und Seel' an diese Tochter gehängt. Sei Er vorsichtig, Miller. Nur ein verzweifelter Spieler setzt alles auf einen
einzigen Wurf. Einen Waghals nennt man den Kaufmann,
der auf *ein* Schiff sein ganzes Vermögen ladet – Hör Er,
denk Er der Warnung nach – – Aber warum nimmt Er
Sein Geld nicht?

M i l l e r. Was, Herr? Die ganze allmächtige Börse? Wohin denken Euer Gnaden?

F e r d i n a n d. Auf meine Schuldigkeit – Da! *(Er wirft
den Beutel auf den Tisch, daß Goldstücke herausfallen.)*
Ich kann den Quark nicht eine Ewigkeit so halten.

M i l l e r *(bestürzt).* Was beim großen Gott? Das klang
nicht wie Silbergeld! *(Er tritt zum Tisch und ruft mit
Entsetzen.)* Wie, um aller Himmel willen, Baron? Baron?
Wo sind Sie? Was treiben Sie, Baron? Das nenn ich mir
Zerstreuung! *(Mit zusammengeschlagenen Händen.)* Hier
liegt ja – oder bin ich verhext, – oder – Gott verdamm'
mich! Da *greif* ich ja das bare gelbe leibhafte Gottesgold
– – Nein, Satanas! Du sollst mich nicht darankriegen!

F e r d i n a n d. Hat Er Alten oder Neuen getrunken, Miller?

M i l l e r *(grob).* Donner und Wetter! Da schauen Sie nur
hin! – Gold!

F e r d i n a n d. Und was nun weiter?

M i l l e r. Ins Henkers Namen – ich sage – ich bitte Sie um
Gottes Christi willen – Gold!

F e r d i n a n d. Das ist nun freilich etwas Merkwürdiges.

M i l l e r *(nach einigem Stillschweigen zu ihm gehend, mit
Empfindung).* Gnädiger Herr, ich bin ein schlichter gerader Mann, wenn Sie mich etwa zu einem Bubenstück
anspannen wollen – denn so viel Geld läßt sich, weiß
Gott, nicht mit etwas Gutem verdienen.

F e r d i n a n d *(bewegt).* Sei Er ganz getrost, lieber Miller.
Das Geld hat Er längst verdient, und Gott bewahre mich,
daß ich mich mit Seinem guten Gewissen dafür bezahlt
machen sollte.

M i l l e r *(wie ein Halbnarr in die Höhe springend).* Mein also! Mein! Mit des guten Gottes Wissen und Willen, mein! *(Nach der Türe laufend, schreiend.)* Weib! Tochter! Viktoria! Herbei! *(Zurückkommend.)* Aber du lieber Himmel! wie komm ich denn so auf einmal zu dem ganzen grausamen Reichtum? Wie verdien ich ihn? lohn ich ihn? Heh?

F e r d i n a n d. Nicht mit Seinen Musikstunden, Miller – Mit dem Geld hier bezahl ich Ihm, *(von Schauern ergriffen hält er inn')* bezahl ich Ihm *(nach einer Pause mit Wehmut)* den drei Monat langen glücklichen Traum von Seiner Tochter.

M i l l e r *(faßt seine Hand, die er stark drückt).* Gnädiger Herr! Wären Sie ein schlechter geringer Bürgersmann – *(rasch)* und mein Mädel liebte Sie nicht? – Erstechen wollt' ich's, das Mädel! *(Wieder beim Geld, darauf niedergeschlagen.)* Aber da hab ich ja nun alles und Sie nichts, und da werd ich nun das ganze Gaudium wieder herausblechen müssen? Heh?

F e r d i n a n d. Laß Er sich das nicht anfechten, Freund – Ich reise ab, und in dem Land, wo ich mich zu setzen gedenke, gelten die Stempel nicht.

M i l l e r *(unterdessen mit unverwandten Augen auf das Gold hingeheftet, voll Entzückung).* Bleibt's also mein? Bleibt's? – Aber das tut mir nur leid, daß Sie verreisen – Und wart, was ich jetzt auftreten will! Wie ich die Backen jetzt vollnehmen will! *(Er setzt den Hut auf und schießt durch das Zimmer.)* Und auf dem Markt will ich meine Musikstunden geben und Numero fünfe Dreikönig rauchen, und wenn ich wieder auf den Dreibatzenplatz sitze, soll mich der Teufel holen. *(Will fort.)*

F e r d i n a n d. Bleib Er! Schweig Er! und streich Er Sein Geld ein! *(Nachdrücklich.)* Nur diesen Abend noch schweig Er und geb Er, mir zu Gefallen, von nun an keine Musikstunden mehr.

M i l l e r *(noch hitziger und ihn hart an der Weste fassend, voll inniger Freude).* Und Herr! meine Tochter! *(Ihn wieder loslassend.)* Geld macht den Mann nicht – Geld nicht – Ich habe Kartoffeln gegessen oder ein wildes Huhn; satt ist satt, und dieser Rock da ist ewig gut, wenn Gottes liebe Sonne nicht durch den Ärmel scheint – Für mich ist das

Plunder – Aber dem Mädel soll der Segen bekommen;
was ich ihr nur an den Augen absehen kann, soll sie haben –
F e r d i n a n d *(fällt rasch ein).* Stille, o stille –
M i l l e r *(immer feuriger).* Und soll mir Französisch lernen
aus dem Fundament und Menuett-Tanzen und Singen,   5
daß man's in den Zeitungen lesen soll; und eine Haube
soll sie tragen wie die Hofratstöchter und einen Kidebarri,
wie sie's heißen, und von der Geigerstochter soll man reden auf vier Meilen weit –
F e r d i n a n d *(ergreift seine Hand mit der schrecklichsten*   10
Bewegung). Nichts mehr! Nichts mehr! Um Gottes willen,
schweig Er still! Nur noch *heute* schweig Er still, das sei
der einzige Dank, den ich von Ihm fodre.

SECHSTE SZENE

Luise mit der Limonade, und die Vorigen.   15

L u i s e *(mit rotgeweinten Augen und zitternder Stimme,*
indem sie dem Major das Glas auf einem Teller bringt).
Sie befehlen, wenn sie nicht stark genug ist?
F e r d i n a n d *(nimmt das Glas, setzt es nieder und dreht*
sich rasch gegen Millern). O beinahe hätt' ich das verges-   20
sen! – Darf ich Ihn um etwas bitten, lieber Miller? Will Er
mir einen kleinen Gefallen tun?
M i l l e r. Tausend für einen! Was befehlen – –
F e r d i n a n d. Man wird mich bei der Tafel erwarten.
Zum Unglück hab ich eine sehr böse Laune. Es ist mir   25
ganz unmöglich, unter Menschen zu gehn – Will Er einen
Gang tun zu meinem Vater und mich entschuldigen?
L u i s e *(erschrickt und fällt schnell ein).* Den Gang kann ja
ich tun.
M i l l e r. Zum Präsidenten?   30
F e r d i n a n d. Nicht zu ihm selbst. Er übergibt Seinen
Auftrag in der Garderobe einem Kammerdiener – Zu Sei-
ner Legitimation ist hier meine Uhr – Ich bin noch da,
wenn Er wiederkommt. – Er wartet auf Antwort.
L u i s e *(sehr ängstlich).* Kann denn ich das nicht auch be-   35
sorgen?
F e r d i n a n d *(zu Millern, der eben fort will).* Halt, und

noch etwas! Hier ist ein Brief an meinen Vater, der diesen
Abend an mich eingeschlossen kam – Vielleicht dringende
Geschäfte – Es geht in *einer* Bestellung hin –

M i l l e r. Schon gut, Baron!

5 L u i s e *(hängt sich an ihn, in der entsetzlichsten Bangig-
keit).* Aber mein Vater, dies alles könnt' ich ja recht gut
besorgen.

M i l l e r. Du bist allein, und es ist finstre Nacht, meine
Tochter. *(Ab.)*

10 F e r d i n a n d. Leuchte deinem Vater, Luise. *(Während
dem, daß sie Millern mit dem Licht begleitet, tritt er zum
Tisch und wirft Gift in ein Glas Limonade.)* Ja! Sie soll
dran! Sie soll! Die obern Mächte nicken mir ihr schreckliches *Ja* herunter, die Rache des Himmels unterschreibt,
15 ihr guter Engel läßt sie fahren –

SIEBENTE SZENE

Ferdinand und Luise.

*Sie kommt langsam mit dem Lichte zurück, setzt es nieder
und stellt sich auf die entgegengesetzte Seite vom Major, das
20 Gesicht auf den Boden geschlagen und nur zuweilen furchtsam und verstohlen nach ihm herüberschielend. Er steht auf
der andern Seite und sieht starr vor sich hinaus.*

*(Großes Stillschweigen, das diesen Auftritt ankündigen
muß.)*

25 L u i s e. Wollen Sie mich akkompagnieren, Herr von Walter, so mach ich einen Gang auf dem Fortepiano. *(Sie öffnet den Pantalon.)*
(Ferdinand gibt ihr keine Antwort. Pause.)

L u i s e. Sie sind mir auch noch Revanche auf dem Schach-
30 brett schuldig. Wollen wir eine Partie, Herr von Walter?
(Eine neue Pause.)

L u i s e. Herr von Walter, die Brieftasche, die ich Ihnen
einmal zu sticken versprochen – Ich habe sie angefangen
– Wollen Sie das Dessin nicht besehen?
35 *(Wieder eine Pause.)*

L u i s e. O ich bin sehr elend!

F e r d i n a n d *(in der bisherigen Stellung)*. Das könnte wahr sein.

L u i s e. Meine Schuld ist es nicht, Herr von Walter, daß Sie so schlecht unterhalten werden.

F e r d i n a n d *(lacht beleidigend vor sich hin)*. Denn was kannst du für meine blöde Bescheidenheit?

L u i s e. Ich hab es ja wohl gewußt, daß wir jetzt nicht zusammen taugen. Ich erschrak auch gleich, ich bekenne es, als Sie meinen Vater verschickten – Herr von Walter, ich vermute, dieser Augenblick wird uns beiden gleich unerträglich sein – Wenn Sie mir's erlauben wollen, so geh ich und bitte einige von meinen Bekannten her.

F e r d i n a n d. O ja doch, das tu. Ich will auch gleich gehn und von den meinigen bitten.

L u i s e *(sieht ihn stutzend an)*. Herr von Walter?

F e r d i n a n d *(sehr hämisch)*. Bei meiner Ehre! der gescheiteste Einfall, den ein Mensch in dieser Lage nur haben kann. Wir machen aus diesem verdrießlichen Duett eine Lustbarkeit und rächen uns mit Hilfe gewisser Galanterien an den Grillen der Liebe.

L u i s e. Sie sind aufgeräumt, Herr von Walter?

F e r d i n a n d. Ganz außerordentlich, um die Knaben auf dem Markt hinter mir herzujagen! Nein! in Wahrheit, Luise. Dein Beispiel bekehrt mich – Du sollst meine Lehrerin sein. Toren sind's, die von ewiger Liebe schwatzen, ewiges Einerlei widersteht, Veränderung nur ist das Salz des Vergnügens – Topp, Luise! Ich bin dabei – Wir hüpfen von Roman zu Romane, wälzen uns von Schlamme zu Schlamm – Du dahin – Ich dorthin – Vielleicht, daß meine verlorene Ruhe sich in einem Bordell wiederfinden läßt – Vielleicht, daß wir dann nach dem lustigen Wettlauf, zwei moderne Gerippe, mit der angenehmsten Überraschung von der Welt zum zweitenmal aufeinanderstoßen, daß wir uns da an dem gemeinschaftlichen Familienzug, den kein Kind dieser Mutter verleugnet, wie in Komödien wiedererkennen, daß Ekel und Scham noch eine Harmonie veranstalten, die der zärtlichsten Liebe unmöglich gewesen ist.

L u i s e. O Jüngling! Jüngling! Unglücklich bist du schon, willst du es auch noch verdienen?

F e r d i n a n d *(ergrimmt durch die Zähne murmelnd)*. Unglücklich bin ich? Wer hat dir das gesagt? Weib, du bist zu
schlecht, um selbst zu empfinden – womit kannst du eines
andern Empfindungen wägen? – Unglücklich, sagte sie? –
5 Ha! dieses Wort könnte meine Wut aus dem Grabe rufen!
– Unglücklich mußt' ich werden, das wußte sie. Tod und
Verdammnis! das wußte sie und hat mich dennoch verraten – Siehe, Schlange! Das war der einzige Fleck der
Vergebung – Deine Aussage bricht dir den Hals – Bis jetzt
10 konnt' ich deinen Frevel mit deiner Einfalt beschönigen,
in meiner *Verachtung* wärst du beinahe meiner *Rache* ent-
sprungen. *(Indem er hastig das Glas ergreift.)* Also leichtsinnig warst du nicht – dumm warst du nicht – du warst
nur ein Teufel. *(Er trinkt.)* Die Limonade ist matt wie
15 deine Seele – Versuche!

L u i s e. O Himmel! Nicht umsonst hab ich diesen Auftritt
F e r d i n a n d *(gebieterisch)*. Versuche!   [gefürchtet.
L u i s e *(nimmt das Glas etwas unwillig und trinkt)*.
F e r d i n a n d *(wendet sich, sobald sie das Glas an den
20 Mund setzt, mit einer plötzlichen Erblassung weg und eilt
nach dem hintersten Winkel des Zimmers)*.
L u i s e. Die Limonade ist gut.
F e r d i n a n d *(ohne sich umzukehren, von Schauer ge-
schüttelt)*. Wohl bekomm's!
25 L u i s e *(nachdem sie es niedergesetzt)*. O wenn Sie wüßten,
Walter, wie ungeheuer Sie meine Seele beleidigen.
F e r d i n a n d. Hum!
L u i s e. Es wird eine Zeit kommen, Walter –
F e r d i n a n d *(wieder vorwärtskommend)*. Oh! Mit der
30 *Zeit* wären wir fertig.
L u i s e. Wo der heutige Abend schwer auf Ihr Herz fallen
dürfte –
F e r d i n a n d *(fängt an, stärker zu gehen und beunruhig-
ter zu werden, indem er Schärpe und Degen von sich
35 wirft)*. Gute Nacht, Herrendienst!
L u i s e. Mein Gott! Wie wird Ihnen?
F e r d i n a n d. Heiß und enge – Will mir's bequemer
machen.
L u i s e. Trinken Sie! Trinken Sie! Der Trank wird Sie
40 kühlen.

F e r d i n a n d. Das wird er auch ganz gewiß – Die Metze ist gutherzig, doch! das sind alle!

L u i s e *(mit dem vollen Ausdruck der Liebe ihm in die Arme eilend).* Das deiner Luise, Ferdinand?

F e r d i n a n d *(drückt sie von sich).* Fort! Fort! Diese sanfte schmelzende Augen weg! Ich erliege. Komm in deiner ungeheuren Furchtbarkeit, Schlange; spring an mir auf, Wurm – krame vor mir deine gräßliche Knoten aus, bäume deine Wirbel zum Himmel – So abscheulich, als dich jemals der Abgrund sah – Nur keinen Engel mehr – Nur jetzt keinen Engel mehr – es ist zu spät – Ich muß dich zertreten, wie eine Natter, oder verzweifeln – Erbarme dich!

L u i s e. Oh! Daß es so weit kommen mußte!

F e r d i n a n d *(sie von der Seite betrachtend).* Dieses schöne Werk des himmlischen Bildners – Wer kann das glauben? – Wer sollte das glauben? *(Ihre Hand fassend und emporhaltend.)* Ich will dich nicht zur Rede stellen, Gott Schöpfer – aber warum gerade dein Gift in so schönen Gefäßen? – – Kann das Laster in diesem milden Himmelstrich fortkommen? – O es ist seltsam.

L u i s e. Das anzuhören und schweigen zu müssen!

F e r d i n a n d. Und die süße melodische Stimme – Wie kann so viel Wohlklang kommen aus zerrissenen Saiten? *(Mit trunkenem Aug' auf ihrem Anblick verweilend.)* Alles so schön – so voll Ebenmaß – so göttlich vollkommen! – Überall das Werk seiner himmlischen Schäferstunde! Bei Gott! als wäre die große Welt nur entstanden, den Schöpfer für dieses Meisterstück in Laune zu setzen! – – Und nur in der *Seele* sollte Gott sich vergriffen haben? Ist es möglich, daß diese empörende Mißgeburt in die Natur ohne Tadel kam? *(Indem er sie schnell verläßt.)* Oder sah er einen Engel unter dem Meißel hervorgehn und half diesem Irrtum in der Eile mit einem desto schlechteren Herzen ab?

L u i s e. O des frevelhaften Eigensinns! Ehe er sich eine Übereilung gestände, greift er lieber den Himmel an.

F e r d i n a n d *(stürzt ihr heftig weinend an den Hals).* Noch einmal, Luise – Noch einmal, wie am Tag unsers ersten Kusses, da du Ferdinand stammeltest und das erste

Du auf deine brennende Lippen trat – O eine Saat un-
endlicher unaussprechlicher Freuden schien in dem Augenblick wie in der Knospe zu liegen – Da lag die Ewigkeit
wie ein schöner Maitag vor unsern Augen; goldne Jahr-
tausende hüpften, wie Bräute, vor unsrer Seele vorbei – –
Da war ich der Glückliche! – O Luise! Luise! Luise! Warum hast du mir das getan?

L u i s e. Weinen Sie, weinen Sie, Walter. Ihre Wehmut wird
gerechter gegen mich sein als Ihre Entrüstung.

F e r d i n a n d. Du betrügst dich. Das sind ihre Tränen
nicht – Nicht jener warme wollüstige Tau, der in die
Wunde der Seele balsamisch fließt und das starre Rad der
Empfindung wieder in Gang bringt. Es sind einzelne –
kalte Tropfen – das schauerliche ewige Lebewohl meiner
Liebe. *(Furchtbarfeierlich, indem er die Hand auf ihren
Kopf sinken läßt.)* Tränen um deine Seele, Luise – Tränen
um die Gottheit, die ihres unendlichen Wohlwollens hier
verfehlte, die so mutwillig um das herrlichste ihrer Werke
kommt – O mich deucht, die ganze Schöpfung sollte den
Flor anlegen und über das Beispiel betreten sein, das in
ihrer Mitte geschieht – Es ist was Gemeines, daß Menschen
fallen und Paradiese verloren werden; aber wenn die Pest
unter Engel wütet, so rufe man Trauer aus durch die
ganze Natur.

L u i s e. Treiben Sie mich nicht aufs Äußerste, Walter. Ich
habe Seelenstärke so gut wie eine – aber sie muß auf eine
menschliche Probe kommen. Walter, das Wort noch und
dann geschieden – – Ein entsetzliches Schicksal hat die
Sprache unsrer Herzen verwirrt. Dürft' ich den Mund
auftun, Walter, ich könnte dir Dinge sagen – ich könnte –
– aber das harte Verhängnis band meine Zunge wie meine
Liebe, und dulden muß ich's, wenn du mich wie eine ge-
meine Metze mißhandelst.

F e r d i n a n d. Fühlst du dich wohl, Luise?

L u i s e. Wozu diese Frage?

F e r d i n a n d. Sonst sollte mir's leid um dich tun, wenn
du mit dieser Lüge von hinnen müßtest.

L u i s e. Ich beschwöre Sie, Walter –

F e r d i n a n d *(unter heftigen Bewegungen)*. Nein! Nein!
zu satanisch wäre diese Rache! Nein, Gott bewahre mich!

in *jene* Welt hinaus will ich's nicht treiben – Luise! Hast
du den Marschall geliebt? Du wirst nicht mehr aus diesem
Zimmer gehen.

L u i s e. Fragen Sie, was Sie wollen. Ich antworte nichts
mehr. *(Sie setzt sich nieder.)*   5

F e r d i n a n d *(ernster).* Sorge für deine unsterbliche Seele,
Luise! – Hast du den Marschall geliebt? Du wirst nicht
mehr aus diesem Zimmer gehen.

L u i s e. Ich antworte nichts mehr.

F e r d i n a n d *(fällt in fürchterlicher Bewegung vor ihr*   10
nieder). Luise! Hast du den Marschall geliebt? Ehe dieses
Licht noch ausbrennt – stehst du – vor Gott!

L u i s e *(fährt erschrocken in die Höhe).* Jesus! Was ist das?
– – – und mir wird sehr übel. *(Sie sinkt auf den Sessel*
zurück.)   15

F e r d i n a n d. Schon? – Über euch Weiber und das ewige
Rätsel! Die zärtliche Nerve hält Freveln fest, die die
Menschheit an ihren Wurzeln zernagen; ein elender Gran
Arsenik wirft sie um –

L u i s e. Gift! Gift! O mein Herrgott!   20

F e r d i n a n d. So fürcht ich. Deine Limonade war in der
Hölle gewürzt. Du hast sie dem Tod zugetrunken.

L u i s e. Sterben! Sterben! Gott Allbarmherziger! Gift in
der Limonade und sterben! – O meiner Seele erbarme
dich, Gott der Erbarmer!   25

F e r d i n a n d. Das ist die Hauptsache. Ich bitt ihn auch
darum.

L u i s e. Und meine Mutter – mein Vater – Heiland der
Welt! mein armer verlorener Vater! Ist keine Rettung
mehr? Mein junges Leben, und keine Rettung! und muß   30
ich jetzt schon dahin?

F e r d i n a n d. Keine Rettung, mußt jetzt schon dahin –
aber sei ruhig: Wir machen die Reise zusammen.

L u i s e. Ferdinand, auch du! Gift, Ferdinand! Von dir? O
Gott, vergiß es ihm – Gott der Gnade, nimm die Sünde   35
von ihm –

F e r d i n a n d. Sieh du nach *deinen* Rechnungen – Ich
fürchte, sie stehen übel.

L u i s e. Ferdinand! Ferdinand! – O – Nun kann ich nicht
mehr schweigen – der Tod – der Tod hebt alle Eide auf –   40

Ferdinand – Himmel und Erde hat nichts Unglückseligers
als dich – Ich sterbe unschuldig, Ferdinand.

F e r d i n a n d *(erschrocken)*. Was sagt sie da? – Eine Lüge
pflegt man doch sonst nicht auf *diese* Reise zu nehmen?

5 L u i s e. Ich lüge nicht – lüge nicht – hab nur *einmal* gelogen
mein Leben lang – Huh! Wie das eiskalt durch meine Adern
schauert – – als ich den Brief schrieb an den Hofmarschall –

F e r d i n a n d. Ha! dieser Brief! – Gottlob! Jetzt hab ich
10 all meine Mannheit wieder.

L u i s e *(ihre Zunge wird schwerer, ihre Finger fangen an,
gichterisch zu zucken)*. Dieser Brief – Fasse dich, ein entsetzliches Wort zu hören – Meine Hand schrieb, was mein
Herz verdammte – dein Vater hat ihn diktiert.

15 F e r d i n a n d *(starr und einer Bildsäule gleich, in langer
toter Pause hingewurzelt, fällt endlich wie von einem
Donnerschlag nieder)*.

L u i s e. O des kläglichen Mißverstands – Ferdinand – Man
zwang mich – vergib – deine Luise hätte den Tod vorge-
20 zogen – aber mein Vater – die Gefahr – sie machten es
listig.

F e r d i n a n d *(schrecklich emporgeworfen)*. Gelobet sei
Gott! Noch spür ich das Gift nicht. *(Er reißt den Degen
heraus.)*

25 L u i s e *(von Schwäche zu Schwäche sinkend)*. Weh! Was
beginnst du? Es ist dein Vater –

F e r d i n a n d *(im Ausdruck der unbändigsten Wut)*. Mörder und Mördervater! – Mit muß er, daß der Richter der
Welt nur gegen den Schuldigen rase. *(Will hinaus.)*

30 L u i s e. Sterbend vergab mein Erlöser – Heil über dich
und ihn. *(Sie stirbt.)*

F e r d i n a n d *(kehrt schnell um, wird ihre letzte sterbende
Bewegung gewahr und fällt in Schmerz aufgelöst vor der
Toten nieder)*. Halt! Halt! Entspringe mir nicht, Engel
35 des Himmels! *(Er faßt ihre Hand an und läßt sie schnell
wieder fallen.)* Kalt, kalt und feucht! Ihre Seele ist dahin.
(Er springt wieder auf.) Gott meiner Luise! Gnade! Gnade
dem verruchtesten der Mörder! Es war ihr letztes Gebet!
– – Wie reizend und schön auch im Leichnam! Der ge-
40 rührte Würger ging schonend über diese freundliche Wan-

gen hin – Diese Sanftmut war keine Larve, sie hat auch
dem Tod standgehalten. *(Nach einer Pause.)* Aber wie?
Warum fühl ich nichts? Will die Kraft meiner Jugend
mich retten? Undankbare Mühe! Das ist meine Meinung
nicht. *(Er greift nach dem Glase.)*   5

LETZTE SZENE

Ferdinand. Der Präsident. Wurm und Bediente, welche alle
voll Schrecken ins Zimmer stürzen, darauf Miller mit Volk
und Gerichtsdienern, welche sich im Hintergrund sammeln.

P r ä s i d e n t *(den Brief in der Hand)*. Sohn, was ist das? 10
 – Ich will doch nimmermehr glauben –
F e r d i n a n d *(wirft ihm das Glas vor die Füße)*. So sieh,
Mörder!
P r ä s i d e n t *(taumelt hinter sich. Alle erstarren. Eine*
schröckhafte Pause). Mein Sohn! Warum hast du mir das 15
getan?
F e r d i n a n d *(ohne ihn anzusehen)*. O ja freilich! Ich
hätte den Staatsmann erst hören sollen, ob der Streich
auch zu seinen Karten passe? – Fein und bewundernswert,
ich gesteh's, war die Finte, den Bund unsrer Herzen zu 20
zerreißen durch Eifersucht – Die Rechnung hatte ein Meister gemacht, aber schade nur, daß die zürnende *Liebe* dem
Draht nicht so gehorsam blieb wie deine hölzerne Puppe.
P r ä s i d e n t *(sucht mit verdrehten Augen im ganzen Kreis*
herum). Ist hier niemand, der um einen trostlosen Vater 25
weinte?
M i l l e r *(hinter der Szene rufend)*. Laßt mich hinein! Um
Gottes willen! Laßt mich!
F e r d i n a n d. Das Mädchen ist eine Heilige – für *sie* muß
ein anderer rechten. *(Er öffnet Millern die Türe, der mit* 30
Volk und Gerichtsdienern hereinstürzt.)
M i l l e r *(in der fürchterlichsten Angst)*. Mein Kind! Mein
Kind! – Gift – Gift, schreit man, sei hier genommen wor-
den – Meine Tochter! Wo bist du?
F e r d i n a n d *(führt ihn zwischen den Präsidenten und* 35
Luisens Leiche). Ich bin unschuldig – Danke *diesem* hier.
M i l l e r *(fällt an ihr zu Boden)*. O Jesus!

F e r d i n a n d. In wenig Worten, Vater – sie fangen an,
mir kostbar zu werden – Ich bin bübisch um mein Leben
bestohlen, bestohlen durch *Sie.* Wie ich mit Gott stehe,
zittre ich – doch ein Bösewicht bin ich niemals gewesen.
5 Mein ewiges Los falle, wie es will – auf *Sie* fall' es nicht –
Aber ich hab einen Mord begangen, *(mit furchtbar erhobe-*
ner Stimme) einen Mord, den *du* mir nicht zumuten wirst,
allein vor den Richter der Welt hinzuschleppen; feierlich
wälz ich dir hier die größte gräßlichste Hälfte zu; wie du
10 damit zurechtkommen magst, siehe du selber. *(Zu Luisen*
ihn hinführend.) Hier, Barbar! weide dich an der entsetzlichen Frucht deines Witzes: auf dieses Gesicht ist mit Ver-
zerrungen dein Name geschrieben, und die Würgengel werden ihn lesen – Eine Gestalt wie diese ziehe den Vorhang
15 von deinem Bette, wenn du schläfst, und gebe dir ihre
eiskalte Hand – Eine Gestalt wie diese stehe vor deiner
Seele, wenn du stirbst, und dränge dein letztes Gebet weg.
– Eine Gestalt wie diese stehe auf deinem Grabe, wenn du
auferstehst – und neben Gott, wenn er dich richtet.
20   *(Er wird ohnmächtig, Bediente halten ihn.)*
P r ä s i d e n t *(eine schreckliche Bewegung des Arms gegen*
den Himmel). Von mir nicht, von mir nicht, Richter der
Welt – fodre diese Seelen von *diesem!* *(Er geht auf Wurm*
zu.)
25 W u r m *(auffahrend).* Von mir?
P r ä s i d e n t. Verfluchter, von dir! Von dir, Satan! – Du,
du gabst den Schlangenrat – Über *dich* die Verantwortung
– Ich wasche die Hände.
W u r m. Über mich? *(Er fängt gräßlich an zu lachen.)*
30 Lustig! Lustig! So weiß ich doch nun auch, auf was Art
sich die Teufel danken. – Über mich, dummer Bösewicht?
War es *mein* Sohn? War *ich* dein Gebieter? – Über mich
die Verantwortung? Ha! bei diesem Anblick, der alles
Mark in meinen Gebeinen erkältet! Über mich soll sie
35 kommen! – Jetzt *will* ich verloren sein, aber *du* sollst es
mit mir sein – Auf! Auf! Ruft Mord durch die Gassen!
Weckt die Justiz auf! Gerichtsdiener, bindet mich! Führt
mich von hinnen! Ich will Geheimnisse aufdecken, daß
denen, die sie hören, die Haut schauern soll. *(Will gehn.)*
40 P r ä s i d e n t *(hält ihn).* Du wirst doch nicht, Rasender?

W u r m *(klopft ihn auf die Schultern).* Ich werde, Kame-
rad! Ich werde – Rasend bin ich, das ist wahr – das ist
dein Werk – so will ich auch jetzt handeln wie ein Rasender – Arm in Arm mit *dir* zum Blutgerüst! Arm in Arm
mit *dir* zur Hölle! Es soll mich kitzeln, Bube, mit *dir* ver-   5
dammt zu sein! *(Er wird abgeführt.)*
M i l l e r *(der die ganze Zeit über, den Kopf in Luisens
Schoß gesunken, in stummem Schmerze gelegen hat, steht
schnell auf und wirft dem Major die Börse vor die Füße).*
Giftmischer! Behalt dein verfluchtes Gold! – Wolltest du   10
mir mein Kind damit abkaufen? *(Er stürzt aus dem Zimmer.)*
F e r d i n a n d *(mit brechender Stimme).* Geht ihm nach!
Er verzweifelt – Das Geld hier soll man ihm retten – Es
ist meine fürchterliche Erkenntlichkeit. Luise – Luise – Ich   15
komme – – Lebt wohl – – Laßt mich an diesem Altar ver-
scheiden –
P r ä s i d e n t *(aus einer dumpfen Betäubung zu seinem
Sohn).* Sohn Ferdinand! Soll kein Blick mehr auf einen
zerschmetterten Vater fallen?   20
      (Der Major wird neben Luisen niedergelassen.)
F e r d i n a n d. Gott dem Erbarmenden gehört dieser letzte.
P r ä s i d e n t *(in der schrecklichsten Qual vor ihm niederfallend).* Geschöpf und Schöpfer verlassen mich – Soll
kein Blick mehr zu meiner letzten Erquickung fallen?   25
F e r d i n a n d *(reicht ihm seine sterbende Hand).*
P r ä s i d e n t *(steht schnell auf).* Er vergab mir! *(Zu den
andern.)* Jetzt euer Gefangener!
(Er geht ab, Gerichtsdiener folgen ihm, der Vorhang fällt.)

ANMERKUNGEN

[Titel] *Kabale:* von neuhebr. *quabbālā* ›Überlieferung, Geheimlehre‹. Mit negativer Bedeutung dann frz. *cabale* ›Ränke, Intrige‹. In dieser Bedeutung in Deutschland seit dem 17. Jh.

Personen

Präsident von Walter: Präsident in der Bedeutung von ›Premierminister, Vorsitzender des Ministerkollegiums‹.

Hofmarschall von Kalb: mhd. *marschalc* ›Pferdeknecht‹, später dann ›Aufseher über die Pferde eines Fürsten‹. Daraus entwickelte sich das Amt des Hofmarschalls als obersten Beamten für die Verwaltung des fürstlichen Haushalts und für das Hofzeremoniell.

Favoritin: (frz.) vom Fürsten begünstigte Hofdame, Geliebte.

Kunstpfeifer: Ehrentitel für die in Zünften organisierten städtischen Musiker.

Kammerjungfer: Kammerfräulein, Bedienstete für die Damen des fürstlichen Hofes.

Erster Akt

5,3 *Musikus:* (lat.) Musiker.

5,8 *Handel:* Geschäft, hier: (unangenehme) Angelegenheit.

5,9 *ins Geschrei:* ins Gerede, in Verruf.

5,10 f. *biete dem Junker aus:* verbiete dem Junker das Haus. *Junker:* mhd. *junc-herre*, urspr. ›adliger Knabe, bevor er zum Ritter geschlagen wird‹, dann bis ins 18. Jh. ›Sohn eines adligen Herren‹.

5,17 *koram nehmen:* von lat. *coram* ›vor aller Augen, öffentlich, in Gegenwart von‹. In der Studentensprache und dann volkstümlich ›jemanden scharf vornehmen, ihm Vorhaltungen machen‹.

5,18 *auftrumpfen:* derb die Meinung sagen.

5,20 *bringt's mit einem Wischer hinaus:* bringt's mit einem Verweis hinter sich.

5,24 *Scholaren:* (lat.) Schüler; gemeint sind Millers Musikschüler.

5,27 *Nehmen:* zur Frau nehmen, heiraten.

5,28 f. *zu einer –:* Miller wagt das Wort »Hure« nicht auszusprechen; vgl. 8,1.

5,30 *Musje von:* ›Herr von‹, von frz. *Monsieur*, Herr von Adel.

5,31 *herumbeholfen:* Liebesabenteuer gesucht hat, sich mit dieser oder jener abgegeben hat.

5,32 *als:* (schwäb.) hier: alles.

gelöst: im Sinne von ›erlösen, einhandeln, erhalten‹. Miller meint hier die Erfahrungen bei Frauen.

guter Schlucker: verächtlich für einen, der viel ißt und trinkt, Vielfraß; gemeint ist Ferdinand.

5,33 *süß Wasser:* gutes, frisches Wasser; bildhaft für die reine Liebe von Luise.

6,1 *jedem Astloch:* in der hölzernen Tür oder Wand, um das Paar zu beobachten.

6,2 *Vor jedem Blutstropfen:* der in den Adern des Mädchens ist und in Leidenschaft geraten könnte.

6,3 *auf der Nase:* unmittelbar vor den Augen.

6,3 f. *dem Mädel eins hinsetzen:* das Mädchen schwängern.

6,4 *führt sich ab:* begibt sich fort, macht sich davon.

6,4 f. *verschimpfiert:* verunglimpft, entehrt.

6,10 *Absehen:* Absicht.

6,11 *führt seinen netten Fuß:* hat einen netten, schönen Gang.

6,13 *parterre:* (frz.) zu ebener Erde, im Erdgeschoß. Hier: der übrige Körper, unterhalb des Kopfes.

6,16 *Rodney:* Georges Brydges R. (1718–92), englischer Admiral, kämpfte im engl.-frz. Kolonialkrieg und besiegte die französische Flotte 1782 bei San Domingo.

6,20 *Billeter:* von frz. *billets* ›Briefchen‹.

6,21 *als:* (schwäb.) hier: immer; auch als bloßes Füllwort gebraucht.

6,28 *topp machen:* sich einigen. »Topp« als Ausruf und Zeichen der Einwilligung in ein Geschäft, meist mit einem Handschlag verbunden.

6,35 *Witz:* bezeichnet urspr. das allgemeine Denkvermögen, im 17. Jh. verändert sich die Bedeutung im Sinne von frz. *esprit* ›Fähigkeit zu geistreichen Einfällen‹, erst später dann ›komischer Einfall‹. Hier: du verstehst den Sinn, du hast die richtige Auffassung davon.

6,36 *rohe Kraftbrühen:* hier bildlich: das natürliche, unverfälschte Wesen von Luise.

6,37 *Makronenmagen:* Magen, der an Makronen, ein damals nur für die höheren Stände erschwingliches Kleingebäck, gewöhnt ist.

6,38 *Bellatristen:* (frz.) Belletristen, Verfasser schöngeistiger Schriften, Romane.

6,40 *als für:* (schwäb.) alles für.

7,1 *Alfanzereien:* Albernheiten, Dummheiten.

 spanische Mucken: schwäb. *Mucke* ›Fliege‹. Spanische Fliegen: Bezeichnung für eine südeuropäische Käferart, aus der ein sexuelles Reizmittel gewonnen wird.

7,8 *verschlägt mir:* vertreibt mir.

7,11 f. *Gleich muß die Pastete auf den Herd:* volkstümlich: Gleich muß die (schlimme) Sache erledigt werden.

7,13 f. *wo Meister . . . gemacht hat:* ugspr.: wo die Tür ist.

7,16 *Präsenter:* Präsente, Geschenke; von frz. *présent.*

7,18 *Blutgeld:* Sühnegeld, das der Mörder dem zahlt, der eigentlich Blutrache üben müßte.

7,21 f. *Mist im Sonanzboden führen:* Mist im Resonanzboden, im Korpus des zerschlagenen Cellos ausfahren.

7,31 *disguschtüren:* Verballhornung von *disgustieren,* von frz. *dégoûter* ›den Geschmack verderben, vor den Kopf stoßen‹, vgl. auch engl. *to disgust* ›verärgern‹.

7,32 *Sie:* meint den abwesenden Major.

7,34 *muß die Sach' . . . auseinander:* muß das Verhältnis beendet werden.

8,7 *Frau Base:* im Schwäbischen Anrede unter guten Bekannten, ohne Verwandtschaftsbeziehung; vgl. auch 9,21 f. *Herr Vetter.*

8,8 *Kavaliersgnade:* Ihre Gnaden, ein Kavalier; gemeint ist Ferdinand; frz. *cavalier* ›Ritter‹, in Deutschland im 17. Jh. ›adliger Herr‹.

8,12 *Bläsier:* Pläsier (frz.), Vergnügen (seines Besuchs).

8,17 *will doch nicht hoffen:* zu ergänzen wäre: daß es meine Gewesene ist.

8,18 *Mamsell Luisen: Mamsell* von frz. *mademoiselle* ›Fräulein, Jungfer‹; respektvolle Bezeichnung für ein bürgerliches Mädchen.

9,3 *merken:* verstehen.

9,6 *Jabot:* (frz.) Brustkrause, gefälteltes oder gekrautes Brusttuch im Ausschnitt von Männerwesten.

9,9 *barrdu:* frz. *partout* ›überall‹; ugspr. auch heute noch wie hier: durchaus, unbedingt.

9,16 *Schmäl:* mhd. *smeln,* als Verb zu *schmal* ›gering‹. Allmählich angenähert der Bedeutung ›schmähen‹.

9,32 *poussieren:* (frz.) hier: aufrücken, aufsteigen.

9,38 f. *verwichenen:* vergangenen.

9,40 *Stehen Sie ihr an:* Gefallen Sie ihr.

10,6 *schmecken:* (schwäb.) riechen; hier: mögen.

10,7 f. *der böse Feind:* der Teufel.

10,8 *in meinen eisgrauen Tagen:* in meinem hohen Alter.

10,12 *Konsens:* (lat.) Übereinkunft, Einwilligung. Nach württembergischen Landrecht brauchte die Tochter die schriftliche Einwilligung beider Eltern zur Heirat.

10,16 f. *Wettermaul:* soviel wie ›verfluchtes Maul‹.

10,22 *Knasterbart:* ugspr., brummiger alter Mann; zu *Knast* ›alter Kerl‹.

10,29 *Sie mißrate ich:* von Ihnen rate ich ab.

10,37 *Gewerb:* Werbung, werbendes Bemühen.

11,1 *schwarzen gelben Tod:* Schwarzer Tod: die Pest; *gelb* hier offenbar verstärkend.

11,4 *Gänsekiel:* Schreibinstrument des Sekretärs Wurm.

11,6 *Obligation:* (lat.) Verpflichtung, Verbindlichkeit; hier ironisch: Ich bin Ihnen verbunden.

11,10 *Operment:* frz. *opriment* ›Arsenik‹, starkes Gift.

11,11 *konfiszierter:* hier: verdächtiger, spitzbübischer, von lat. *confiscare* ›beschlagnahmen, einziehen‹.

11,13 *hineingeschachert:* hineingeschmuggelt, von neuhebr. *schachār* ›als Händler herumziehen‹.

11,15 *für purem Gift:* aus reinem Neid, Ärger.

11,21 *dir 's Maul sauberhalten:* dafür sorgen, daß du den Bissen (Luise) nicht bekommst.

11,27 *der Alte:* der Richtige, der Rechte, den kenne ich.

11,28 *am Marktbrunnen ausgeschellt:* auf dem Marktplatz vom Gemeindediener mit der Glocke ausgerufen.

11,30 *räsonieren:* (frz.) etwas aussetzen, nörgeln.

11,32 *Matress':* Verballhornung von *Mätresse* (frz.): Geliebte des Fürsten.

12,25 *schlechtes:* schlichtes, einfaches.

12,32 f. *Damit genügte mir:* Das würde mir genügen.

13,3 *Vater der Liebenden:* Gott.

13,6 *lispelte:* flüsterte.

13,20–22 *Dieser karge Tautropfe . . . auf:* Dieses kurze Leben reicht nicht einmal hin, um von Ferdinand zu träumen.

13,25 *Hülsen des Standes:* Formen und Zwänge, die an den gesellschaftlichen Rang gebunden sind.

13,28 *wohlfeil:* günstig zu kaufen, billig.

13,32 *für:* vor.

13,33 f. *springt über die Planke:* springen (schwäb.): laufen, rennen;

»die Planken« wird bis heute eine der Mannheimer Hauptstraßen genannt.

14,29 *auf welchem Kaltsinn ... muß:* in welcher kalten Gesinnung ich dich antreffen muß.

14,33 *eine Klugheit:* eine klügelnde Überlegung.

15,9 *Riß:* Grundriß, Plan.

15,14 *Landeswucher:* hier: Ausbeutung des Landes für den Fürsten.

15,20 *emporblasen:* anfachen, auflodern lassen.

15,36 *Furien:* (lat.) Rachegöttinnen.

16,10 *Attachement:* (frz.) Beziehung, Liebesverhältnis.

16,14 *Bürgerkanaille:* (lat./frz.) Bürgergesindel.

16,15 *Flatterien:* (frz.) Schmeicheleien.

16,25 *das Ding:* verächtlich für: das Mädchen.

16,32 *in seinen Beutel zu lügen:* sich durch Lügen Ausgaben ersparen und dadurch den eigenen Geldbeutel schonen.

16,36 *Aspekten:* (lat.) *Aspekt* in der Astrologie: Gestirnkonstellation mit Auswirkungen auf die Zukunft des Menschen.

17,1 *Skortationsstrafe:* lat. *scortum* ›Dirne, Hure‹; hier: Entschädigung für die Verführung eines Mädchens (»Kranzgeld«).

17,14 *zum Schelmen:* zum Betrüger.

17,16 *Pfiff:* schlauer Streich, Pfiffigkeit.

17,20 f. *mit den Augen ... Zunge:* höchstens durch Blicke, nicht durch Worte.

17,23 *was verschlägt es denn Ihm:* was macht es Ihm denn.

17,23 f. *Karolin:* pfälzische Goldmünze.

17,24 *Münze:* hier: ›Werkstatt, in der Geld geprägt wird‹.

17,26 *Mariage:* (frz.) Ehe, Heirat.

17,28 *Aufwärter:* Diener, Kellner.

17,28 f. *ermessen:* ausmessen, d. h. den Körper der Braut genau kennen.

17,30 f. *Ich mache ... den Bürgersmann:* im Sinne von: Ich halte mich lieber an die (strengere) Moral des Bürgertums.

17,32 *mit nächstem:* demnächst.

17,34 *Anschlag:* hier: Plan.

17,35 *auf die Ankunft:* bis zur Ankunft.

17,40 *Springfedern:* Triebfedern, die ihn voranbringen.

18,3 *anreißen:* an sich reißen.

18,6 *helle:* klar, einsichtig.

18,7 *Daß mich ... beißen:* *beißen* mit Akk. (schwäb.): jucken; also: Daß mir die Augen wehtun.

18,8 *Präsident ... Anfänger:* als Präsident geschickt, als Vater ein Anfänger.

18,26 *Kugeln schleifen:* mit einer Eisenkugel am Bein einkerkern.

18,34 *Er:* Wurm.

19,3 f. *falschen Handschriften:* gefälschten Schriftstücke.

19,6 *Schröter am Faden:* Schröter: Hirschkäfer; Kinder ließen diese zur Unterhaltung an einem Faden auf und ab kriechen.

19,14 *Kammerherrnschlüssel:* auf die Kleidung aufgesticktes Symbol für die Schlüsselgewalt des Amtes. Der Kammerherr war fürstlicher Hofbeamter, der Dienst in unmittelbarer Umgebung des Fürsten versah.

19,15 *Chapeaubas:* (frz.) ›niedriger Hut‹, flacher Zweispitz, den man auch zusammengeklappt unter dem Arm trug. *à la Hérisson:* (frz.) nach Igelart frisiert, Modefrisur der Zeit.

19,17 *Bisamgeruch:* syr. *besam* ›Wohlgeruch‹; bezeichnet wird damit das sog. Moschus, das Grundbestandteil vieler Parfüms ist.
Parterre (frz.) hier: die zu ebener Erde liegenden mittleren und hinteren Zuschauerreihen im Theater.

19,21 *Visitenbillets:* Karten oder Briefchen, mit denen Höflichkeitsbesuche angekündigt oder gestattet werden.

19,23 *Lever:* (frz.) Aufstehzeremonie der absolutistischen Herrscher am Morgen.

20,5 *in voller Karriere:* so rasch die Pferde laufen können.

20,7 *Antischamber:* das Zeremoniell des Wartens der Höflinge im Vorzimmer (frz. *antichambre*) des herzoglichen Schlafgemachs.

20,8 *Impromptu:* (frz.) Improvisation, Einfall aus dem Augenblick heraus.

20,16 *Merde d'Oye-Biber:* (frz.) Rock aus gänsekotfarbenem, langhaarigem Wollstoff, der dem Biberpelz ähnelt.

20,19 *Zeitung:* Nachricht von einer Begebenheit.

20,21 f. *richtig gemacht:* abgemacht.

21,9 *Zirkel:* (lat.) hier: gesellschaftliche Kreise.

21,11 *Grille:* hier: seltsamer, wunderlicher Einfall, Idee.

21,32 *Romanenkopfe:* der Kopf, der voll von Romanen, d. h. voll von Unrealistischem ist; ein Phantast.

21,35 *Skorpion:* (lat.) hier: Stachelpeitsche.

22,13 *Fähndrich:* Fähnrich, im 18. Jh. jüngster Offizier der Infanteriekompanie.

22,15 f. *Geheimen Rat:* Beraterkreis des Fürsten.

22,18 *zunächst nach:* nahe an.

22,18 f. *wenn anders ... Zeichen:* an Macht dem Herrscher gleich, wenn auch nicht mit dessen äußeren Zeichen, wie Titel, Kleidung usw., ausgestattet.

23,7 *Schandsäule:* Schandpfahl, zur öffentlichen Bestrafung unmoralischen Lebenswandels, besonders bei Frauen.

23,22 *nach der Distinktion geizen:* voll Ehrgeiz nach der Auszeichnung streben.

23,23 *dritten Orte:* wahrscheinlich sexuelle Anspielung.

23,26 f. *unter den Menschen hinunterkriecht:* seinen animalischen Trieben folgt.

24,1 f. *steigen, machen kann:* in der Gunst des Herzogs steigen lassen kann.

24,25 f. *herzliche:* im Sinne von ›liebevolle‹, fürsorgliche‹.

24,39 *wissen es richtig:* wissen es als abgemacht.

25,2 *Historien:* hier: Liebesabenteuer.

25,11 *Parole:* (frz..) täglich ausgegebenes Kennwort, auf das hin die Wache passieren läßt.

Zweiter Akt

26,6 *phantasiert:* spielt frei, ohne Notenvorlage auf dem Instrument.

26,16 *Marstall:* herzoglicher Pferdestall.

26,17 *mich leichter reiten:* so lange reiten, bis es mir leichter ums Herz ist.

26,20 *Assemblee:* (frz.) Gesellschaft, Versammlung.

26,21 *l'Hombre:* aus Spanien stammendes Kartenspiel für drei Personen.

26,23 *Grille:* hier: schlechte Laune.

26,31 *Filet:* (frz.) Faden, Garn, auch feine Knüpfarbeit mit Stäbchen oder Nadel.

27,14 *Talisman:* arab. *tilasm* ›Zauberbild‹; hier gemeint: die gleichsam magische Kraft, die von der Stellung des Herrschers im absolutistischen Staat ausgeht.

27,16 *Saft von zwei Indien:* Saft aus den kostbarsten Früchten von Ost- und Westindien (Mittelamerika).

27,17 *Paradiese aus Wildnissen:* Anspielung auf die Bemühungen der barocken Fürsten, bisher ungenutztes Land zu kultivieren, oft verbunden mit dem Bau von Lust- und Jagdschlössern.

27,22 f. *sein darbendes Gehirn ... exequieren:* seinem ärmlichen

Gehirn ein einziges schönes Gefühl abgewinnen; lat. *exsequi* ›vollziehen, eintreiben‹.

28,36 *mir ahndete:* ich ahnte.

29,19 *Heller:* zu Schillers Zeit die Münze von geringstem Wert.

29,36 *vor die Front:* vor die Reihe der angetretenen Soldaten; frz. *front* ›Stirn, Vorderseite‹.

29,37 *Joch:* eigtl. auf Tiere bezogen: ein Paar Ochsen, die im Joch des Zuggeschirrs zusammengespannt sind.

30,2 *Maulaffen:* hier: Narren, Dummköpfe (nämlich die »vorlaute Bursch«, 29,35 f.). Heute nur noch in der Wendung ›Maulaffen feilhalten‹: gaffend (mit offenem Mund) dastehen.

30,32 *Mich beredete man:* Mir redete man ein.

31,13 *die Landschaft:* Vertretung der Stände in Württemberg; hier ist wohl ihr Versammlungsgebäude, insbes. die Kasse gemeint.

31,21 *Geschirr:* vgl. Anm. zu 29,37; hier: das Diadem (ein mit Edelsteinen besetzter Stirnreif) als Joch.

31,34 *aufgeräumt:* guter Stimmung.

33,8 *meines Wappens – und dieses Degens:* Wappen und Degen als Zeichen der Familien- bzw. Offiziersehre.

33,16 *Dreier:* Dreipfennig- oder Dreigroschenmünze, die wegen ihres geringen Wertes in großen Mengen geprägt wurde.

33,21 *Degenquaste:* silberne oder goldene Quaste am Riemenwerk, mit dem der Offiziersdegen befestigt war; Symbol für die Ehre des Offiziers.

34,1 f. *räuchern:* hier: schmeicheln, beweihräuchern.

34,10 *Schranke:* Grenzschranke zum lasterhaften Leben.

34,36 *Thomas Norfolks:* Thomas Howard, Herzog von N., geb. 1536; Günstling von Königin Elisabeth, wurde nach einem mißglückten Befreiungsversuch der gefangenen Maria Stuart 1576 hingerichtet.

35,14 *Filet:* vgl. Anm. zu 26,31.

35,29 f. *graute mich . . . an:* kam mir mit Grauen entgegen.

36,1 *Konkubine:* (lat.) Beischläferin, Geliebte.

36,9 *geschleift:* hier im übertragnen Sinn: zerstört.

36,11 *Schülerinnen:* die der Herzog in Ausschweifungen unterwiesen hatte.

36,19 *Serail:* (frz./türk.) Palast, Schloß mit Harem.

36,19 f. *Italiens Auswurf:* Ausdruck höchster Verachtung, *Auswurf* gewöhnlich für ›Schleim und Kot‹.

36,22 *ihren Tag:* ihren letzten Tag.

36,23 *Kokette:* (frz.) gefallsüchtige Frau, die bewußt ihre Reize einsetzt, um auf Männer zu wirken.

36,40 *erschöpftes:* erfülltes, an ein Ende gekommenes.

37,38 *in Ihnen betrogen:* in Ihnen getäuscht.

38,14 *Konvenienzen:* (lat.) geltende Sitte, übliche Verhältnisse.

39,3 *alle Minen sprengen:* Redensart aus dem Militärischen: alle mit Pulver gefüllten Bohrlöcher (Minen) auf einmal explodieren lassen; bedeutet: alle verfügbaren Mittel einsetzen.

39,10 *sprengt ihn ... an:* stürzt auf ihn zu (um etwas zu erfahren).

39,13 *mir ... eingebildet:* in der alten Bedeutung ›mir vorgestellt‹.

39,33 *Jetzt hab ich's blank!:* Jetzt ist es mir klar.

39,35 *rekommendiert:* (frz.) empfohlen.

39,37 *Rohr:* Spanisches Rohr: Palmenart, aus der Spazierstöcke hergestellt wurden.

39,37 f. *Schwefelregen von Sodom:* vgl. den Untergang der alttestamentlichen Stadt Sodom, 1. Mose 19,24–28.

40,2 *Diskant:* (mittellat.) Sopran, eigtl. die dem Cantus firmus, der Melodie, entgegengesetzte Oberstimme.

40,8 *Dintenkleckser:* Tintenkleckser, der Schreiber Wurm.

40,23 *makeln:* von niederdt. *makelen* ›Geschäfte vermitteln‹.

40,24 *fischen:* hier: Gewinn machen.

40,25 *Holz ... zugetragen:* bildlich: das Feuer der Liebe noch angefacht.

40,26 *Kuppelpelz:* eigtl. ›Geschenk für Ehevermittlung‹; hier vielleicht auch im Sinn von ›Leib und Leben‹.

42,16 *hinaufschwindeln:* beim Hinaufschauen vom Schwindel erfaßt werden.

42,28 *Bube:* hier: zuchtloser Mensch, Schurke.

43,1 f. *im Faden ... Schöpfung:* das Band zwischen Vater und Kind, das in der Schöpfung heilig ist.

43,7 *geltenden:* entscheidenden, in dem es gilt (zu handeln).

43,28 f. *anstreichen:* durch Bestreichen mit belebenden Mitteln die Ohnmacht vertreiben; hier ironisch gemeint.

43,31 *Diesem habe ich nie nachgefragt:* nach diesem, dem Sohn des Präsidenten, habe ich nie gefragt.

43,34 *Versicherungen:* Zusicherungen der Ehe.

44,17 *Verschluß:* grob für ›Geschlechtsverkehr‹.

44,35 *Mähre:* (ugspr.) liederliches Frauenzimmer, das sich mit jedem einläßt.

44,37 *Tax':* (frz.) festgesetzter Preis, Gebühr.

44,37 *Halten zu Gnaden:* Höflichkeitsformel: behalten Sie mich in Gnaden, seien Sie mir gnädig gesinnt.

45,14 *devotestes:* (lat.) ehrerbietigstes.

45,15 *Promemoria:* (lat.) Gesuch, Eingabe.

45,26 *Metze:* seit dem 15. Jh. verächtlich für: Hure.

46,27 *eiserne Halsband:* mit dem die Verurteilten am Pranger angeschlossen wurden.

47,3 *Gefäß:* hier: Griff des Degens.

47,8 *Memmen:* Feiglinge.

47,23 *Pasquill:* (ital.) Schmäh-, Spottschrift.

47,34 *Portepee:* (frz.) Degenquaste, vgl. Anm. zu 33,21.

48,9 *Laßt sie ledig:* Laßt sie frei.

Dritter Akt

49,14 *eintreiben:* hier: einschüchtern, in die Enge treiben.

49,20 *Akademien:* (griech.) hier: Universitäten.

50,19 *Partie Piquet:* ein Spiel Piquet: französisches Kartenspiel für zwei Personen.

50,25 *Roman:* hier in der Bedeutung von ›Liebesgeschichte‹.

51,1 *Gran:* (lat.) Korn; kleinste Einheit der alten Apothekergewichte, 0,06 g.

51,12 f. *Partie . . . zurückgeht:* wenn das Spiel verlorengeht.

51,17 *Billetdoux:* vgl. Anm. zu 6,20; hier in Verbindung mit frz. *doux* ›süß‹: Liebesbriefchen.

51,30 *Halsprozeß:* Prozeß, in dem die Todesstrafe droht.

51,31 *Siegelbewahrers:* Dieses Amt war meist mit dem eines Ministers verbunden; er siegelte die Staatsurkunden und verwahrte die Siegel von Staat und Fürst.

51,34 *armen Schächer:* hier etwa: armen Kerl, armen Schuft.

51,34 f. *mit diesem zusammengeflickten Kobold . . . Nadelöhr jagen:* mit diesem Schreckgespenst gefügig machen, auch wenn es schwierig ist.

52,2 *peinlicher Anklage:* nach den Formen der hochnotpeinlichen Gerichtsordnung; von lat. *poena* ›Strafe‹.

52,17 *körperlichen Eid:* feierlichen Eid, Eid auf Leben und Tod.

52,26 *ziehen gelindere Saiten auf:* (ugspr.) nachsichtiger, weniger streng sein.

52,28 *erkennen sie's . . . für Erbarmung:* anerkennen sie es dankbar als eine Gnade.

52,29 *Reputation:* (frz.) Ansehen, guter Ruf.

53,2 f. *Eau de mille fleurs:* (frz.) ›Tausendblütenwasser‹, Parfüm.

53,3 f. *auf jedes alberne … Dukaten:* auf jedes seiner albernen Worte kommt eine Handvoll Dukaten, so reich ist er.

53,4 *Delikatesse:* (frz.) hier im Sinne von ›Zartgefühl‹.

53,6 *skrupulös:* (lat.) gewissenhaft, peinlich genau.

53,12 *zustand' sein:* zustande gekommen, fertig sein.

53,21 *Aufstand:* Aufsehen.

53,30 *Opéra Dido:* die zu Schillers Zeit mehrfach aufgeführte Oper *Didone abbandonata* von Niccolo Jommelli (1714–74), Text von Pietro Metastasio (1698–1782). Königin Dido setzt in der Schlußszene der Oper ihren Palast in Brand.

süperbeste: (frz.) prächtigste.

53,36 f. *poussiert:* (frz.) befördert.

54,10 f. *Windmacher:* einer, der leeres, nichtssagendes Zeug redet.

54,27 *ins Werk zu richten:* in Gang zu setzen, zu bewerkstelligen.

54,33 *Oberschenk:* Mundschenk: Hofbeamter, der für die Getränke zu sorgen hatte.

55,3 *Englischen:* die Anglaise, ein Gesellschaftstanz des 18. und 19. Jh.s.

55,5 *Domino:* (ital./frz.) höfisches Maskengewand mit langem, weitem Mantel und Kapuze.

55,12 *Redoutensaal:* ital./frz. *redoute* ›Ball, bes. Maskenball‹.

55,17 *Impertinent:* ungehörig, frech.

55,19 *Malice:* (frz.) Bosheit, Tücke.

56,1 *bizarr:* (ital./frz.) absonderlich, phantastisch, ungewöhnlich.

56,4 *bei Ihnen steht:* hängt von Ihnen ab.

56,39 *Stuttierter:* mundartl. und ugspr. für einen Akademiker.

57,1 *Bonmot:* (frz.) Witz, geistreiche Bemerkung.

57,14 *als von Ohngefähr:* wie von ungefähr, wie zufällig.

57,18 *Mort de ma vie:* (frz.) im Sinne von: ich will des Todes sein.

57,18 f. *ihn schon waschen:* ihm schon zusetzen.

57,24 *berichtigen:* absprechen, richtig festlegen.

57,26 *Importance:* (frz.) Bedeutung, Wichtigkeit.

58,5 *warm:* solange die Sache noch warm ist, sofort.

58,33 *Baltischen Meer:* Ostsee.

59,26 f. *auf dem Rade:* besonders grausame Strafe, bei der der Verurteilte zwischen die Speichen eines sich schnell drehenden Rades gebunden wurde.

60,25 *in einsamen Mauren:* hinter Klostermauern.

61,31 *Schandbühne:* Pranger; vgl. Anm. zu 23,7.

62,18 *Vorsicht:* bis ins 19. Jh. ›Vorsehung‹.

62,21 *Entsetzliche Freiheit:* der Wahl.

62,29 *Spinnhaus:* Zucht- und Arbeitshaus für Frauen.

62,32 f. *Abgeschält von der Vorsicht:* losgelöst von der Vorsehung (da sie keine Hoffnung mehr hat).

62,35 *immerhin:* hier: von jetzt an immerfort.

63,2 *Eulengesang:* Ruf des Käuzchens, der im Volksglauben Unglück verheißt.

63,3 f. *Schaft der Notwendigkeit:* die Notwendigkeit als der Speer-(Pfeil-)Schaft, der durch das Herz geht.

64,19 *Erdengötter:* »die Großen der Welt« (64,11).

64,34 *Supplikantin:* (lat.) Bittstellerin.

65,2 *Cherubim:* (hebr.) Paradieseswächter, in der christlichen Theologie eine Stufe aus den Engelshierarchien.

66,7 *Argus:* hundertäugiger Riese aus der griechischen Mythologie.

67,36 *das Sakrament darauf nehmen:* das Abendmahl als feierliche Bekräftigung vor Gott, daß sie niemandem etwas über das Zustandekommen des falschen Briefes mitteilen wird.

Vierter Akt

68,13 *Pharotisch:* Tisch, an dem das Kartenspiel Pharo oder Pharao gespielt wurde, das wegen der Betrugsmöglichkeiten besonders verrufen war.

68,30 f. *himmlische Schminke:* Schein der Unschuld.

69,4 f. *Mich zu berechnen ... Träne:* Meine innere Verfassung an einer Träne abzulesen.

69,5 *gähen:* jähen, steilen.

69,7 f. *Grimasse:* hier: Maske, Verstellung.

69,35 *Wunsch blicken lassen:* Wunsch geäußert; ergänze: mich zu sehen.

70,6 *Allmacht:* göttliche Allmacht.

70,25 *Über dem Schnupftuch:* Pistolenduell auf die geringe Distanz eines Tuchs.

70,31 *Dafür wird gebeten sein:* Ich möchte doch darum bitten (nicht davonzulaufen).

71,6–8 *In einem Augenblick ... Nadel:* abwertender Vergleich des stets Bücklinge machenden Höflings mit dem Schmetterling, der von einem Sammler aufgespießt wird und sich windet.

71,9 f. *Mietgaul seines Witzes:* für Geld arbeitendes Geschöpf, das die Einfälle und Launen seines Herrn ausführt.

71,12 *apportieren:* (frz.) bei dressierten Tieren ›einen geworfenen Gegenstand zurückbringen‹.

71,13 f. *die ewige Verzweiflung:* die Hölle.

71,17 *Schmerzenssohn:* blasphemische Anspielung auf das Leiden Christi.

71,18 *sechsten Schöpfungstag:* Nach 1. Mose 1,27 schuf Gott den Menschen am sechsten Tag.

71,18–20 *Als wenn ... nachgedruckt hätte:* Anspielung auf die Tübinger Buchhändler und Verleger Schramm und Frank, die bei den Autoren des 18. Jh.s für ihre minderwertigen Raubdrucke berüchtigt waren.

71,21 *Unze:* Handels- und Apothekergewicht, etwa 27,2 g.

71,24 *Bruch:* Bruchteil.

71,33 f. *Trebern:* Rückstände bei der Bierherstellung, werden als Viehfutter verwendet.

71,35 *am Hochgericht:* an der Hinrichtungsstätte, am Galgen.

71,35 f. *im Schlamme der Majestäten:* bildlich für das Lasterleben der Fürsten.

71,37 *Polizei der Vorsicht:* Staatsverwaltung (griech. *politeia*) der Vorsehung.

71,40 *meine Blume:* Luise.

72,5 *Bicêtre:* Dorf und Kloster bei Paris, seit 1656 Armenhospital und Irrenhaus.

73,16 *graß:* grauenerregend.

75,11 *nahm:* benahm.

75,29 *Heiducken:* ungar. *hajdú* ›Treiber, Hirt‹; im 18. Jh. Diener hoher ungarischer Adliger, auch in Deutschland.

75,35 *Kreatur:* ein so erbärmliches Wesen wie eine klatschsüchtige Bediente.

76,31 *zu leben wissen:* sich zu benehmen wissen.

76,35 *Patronin:* (lat.) Beschützerin, Gönnerin.

76,36 *Klientin:* (lat.) Schutzbefohlener eines Patrons oder einer Patronin.

77,1 *offene Bildung:* Offenheit des Ausdrucks, der Gesichtszüge.

77,20 *Herrschaften finden:* adlige Familien, bei denen sie als Diener arbeiten können.

77,29 f. *im Feuer vergoldet:* im 18. Jh. eine besonders dauerhafte Form der Vergoldung von Gegenständen.

77,34 f. *der einen Demant … gefaßt zu sein:* er achtete nur auf die Goldfassung, nicht auf den wertvolleren Diamanten.

78,1 f. *Grazien:* römische Göttinnen der Anmut.

78,10 *Lose:* Hinterlistige, Durchtriebene.

78,11 *Promessen:* (lat./frz.) Versprechungen, Verheißungen.

78,20 f. *sage … gut:* stehe dafür ein.

78,29 *Skorpion:* vgl. Anm. zu 21,35.

79,31 *Seraph:* (hebr.) sechsflügeliger Engel des Alten Testaments. Die Seraphim umschweben anbetend den Thron Gottes.

79,36 *Folie:* (lat.) ein Hintergrund, auf dem sich etwas besonders deutlich abzeichnet.

79,38 *Insekt:* Schiller meint hier offensichtlich die im Wasser leben-den sog. ›Wimperntierchen‹.

80,18 *Kondition:* (lat.) hier: Stellung als Bedienstete.

81,20 *barbarischen Tat:* der von Wurm in III,6 diktierte Brief.

81,36 f. *in seinen Händen:* deren Schicksal in seinen (Gottes) Händen liegt.

82,18 *Grenzen deines Geschlechts:* Grenzen des üblichen weiblichen Verhaltens.

83,2 *Verweisung:* Ausweisung, Verbannung.

83,15 *Hofschranzen:* schmeichelnde Höflinge, zu *Schranz* ›geschlitz-tes Gewand‹, das eitle Höflinge trugen.

83,20 *zum Sacktragen:* wie der Esel.

83,32 *wegzukriegen:* zu erhaschen.

83,33 *Serenissimus:* Durchlauchtigster; Titel für Fürsten.

84,4 f. *distrait:* (frz.) zerstreut.

84,7 *Vauxhall:* Dorf bei London, in dem die vornehme städtische Gesellschaft ihre traditionellen Gartenfeste abhielt; im 18. Jh. auch allgemein für: Ballveranstaltungen.

84,12 *Garderobe:* (frz.) hier: Dienerschaft.

84,16 *echauffiert:* (frz.) erhitzt, außer sich.

84,19 *zweifelhaften:* zaghaften, unentschlossenen.

84,34 *Johanna Norfolk:* der wirkliche Name der Milford, vgl. Anm. zu 34,36.

84,39 *müßte der Hals … jücken:* der Überbringer müßte darauf aus sein, seinen Kopf zu verlieren.

85,3 *erwürgen:* ersticken.

85,6 *Ciel!:* (frz.) Himmel!

85,8 *Disgrace:* (frz./engl.) Ungnade.

85,12 *Rätsel entwickeln wird:* Rätsel lösen wird.

85,31 *Geistesbankerott:* Unfähigkeit, irgendeinen Gedanken zu fassen.

85,36 *Loretto:* Loreto, berühmter italienischer Wallfahrtsort bei Ancona.

Fünfter Akt

86,2 *zwischen Licht:* in der Dämmerung, im Zwielicht.

86,28 f. *Nur der Gewissenswurm ... Eule:* Nur das schlechte Gewissen gesellt sich zur Nachteule, kommt bei Nacht.

87,12 *traurigen Stern:* Ordensstern auf der Brust des Präsidenten, vgl. 46,24.

87,17 *Sakramente eisernes Band:* 67,35–37.

87,23 *Wenn:* Wann.

88,5 *Karmeliterturm:* Turm der Karmeliterkirche. Karmeliter: Kreuzfahrerorden des 12. Jh.s, auf dem Berg Karmel in Palästina gestiftet.

88,29 f. *Liebesgott ... tückisch:* Amor, der römische Liebesgott, schießt seine Liebespfeile aus dem Hinterhalt ab.

88,31 *Genius:* (lat.) Schutzgeist.

88,32 *Graben der Zeit:* bildlich: der zwischen Leben und Tod verläuft.

89,26 *Kapitale:* (lat.) angelegte Geldbeträge; bildlich für die Liebe zur Tochter, die sich im Alter als Fürsorge für den Vater verzinst.

90,5 *Für Gift:* vor Gift.

90,8 f. *Gaukelbild:* unreales, vorgetäuschtes Gebilde; gemeint ist Ferdinands Liebe.

90,12 *sterbliche Puppe:* Ferdinand, »dieser zerbrechliche Gott deines Gehirns« (90,13 f.).

90,22 f. *stehe dir ... nicht mehr:* bin dir für diese Seele nicht mehr verantwortlich.

90,40 *wohin ich mich neige:* welchen Entschluß ich auch fasse.

91,1 f. *sein letztes Gedächtnis:* das letzte Gedenken an ihn.

91,20 *setze ... auf die Laute:* komponiere für die Laute.

92,35 *seinen Witz noch zu kitzeln:* seinen Geist noch zu ergötzen (indem er ironische Bemerkungen macht); vgl. Anm. zu 6,35.

93,1 *gangbare Münze:* gültige Münze, bildlich für: üblich.

93,15 *Firnis:* durchsichtiger Harzüberzug, z. B. über Gemälden; bildlich für: Oberfläche, äußerer Schein.

93,33 *giftige Natter:* Luise.

93,38 *Vergiß nicht:* Miller erinnert an den Schwur, vgl. 87,31.

94,3 f. *O die Vorsehung . . . fallen:* vgl. dazu Mt. 10,29.

94,33 *Hauch:* Atem.

95,33 *akkordierten:* (lat./frz.) vereinbarten.

95,34 *Skorpionen:* Hier sind die Tiere gemeint.

96,6 f. *an diesem Apfel . . . sollte:* Anspielung auf 1. Mose 3.

96,11 *Gepreßt:* gedrückt, verlegen.

96,23 f. *Barschaft:* vgl. Anm. zu 89,26.

96,36 *Brust für das:* Herz dazu, Mut dazu.

97,36 *Wurm:* als Bild für den Verfall.

98,10 *allmächtige:* im Schwäbischen als Verstärkung verwendet; etwa im Sinne von ›riesig, ungeheuer‹.

98,19 *Zerstreuung:* Zerstreutheit, Gedankenlosigkeit (Ferdinands).

98,23 *Alten oder Neuen:* Wein.

98,33 *Bubenstück:* schlechte Sache; Miller denkt an Bestechung.

99,3 *Viktoria:* (lat.) Sieg!

99,5 *grausamen:* (schwäb.) ungeheuren; vgl. Anm. zu 98,10.

99,17 *Gaudium:* (lat.) Freude.

99,19 *Laß Er sich das nicht anfechten:* Laß Er sich davon nicht bekümmern.

99,21 *Stempel:* eingestempelte Prägungen auf diesen Münzen.

99,28 *Numero fünfe Dreikönig:* gute Tabakmarke, nach dem Bild auf der Packung.

99,29 *Dreibatzenplatz:* billigster Sitzplatz im Theater. Batzen: Münze von geringem Wert.

100,5 *aus dem Fundament:* (lat.) von Grund auf.

100,7 *Kidebarri:* frz. *Cul de Paris,* Kissen, das am Rückenteil des Kleides befestigt war, um dem Rock die modisch gebauschte Form zu geben.

100,32 *Garderobe:* hier: Dienerzimmer.

101,2 *an mich eingeschlossen:* in einem Brief an Ferdinand enthalten.

101,25 *akkompagnieren:* (frz.) begleiten (auf der Flöte).

101,26 *einen Gang:* nachgebildet von frz. *faire un passage* ›ein Musikstück spielen‹.

101,27 *Pantalon:* nach dem Instrumentenbauer Pantaleon Hebenstreit (1660–1750) benannter Vorläufer des Hammerklaviers; auch, wie hier, als Bezeichnung für dieses.

101,34 *Desin:* (ital./frz.) Webmuster, Stickmuster.

102,6 *blöde:* schüchterne.

102,9 *verschickten:* fortschickten.

102,34 f. *gemeinschaftlichen Familienzug:* sichtbare Zeichen einer Geschlechtskrankheit.

102,35 *Kind dieser Mutter:* Bordellbesucher, ein dem Laster Verfallener.

103,8 *Fleck:* Stelle, Möglichkeit.

103,35 *Gute Nacht, Herrendienst:* Indem er Schärpe, das Dienstabzeichen der Offiziere, und Degen von sich wirft, kündigt er den Dienst beim Herzog auf.

104,21 *fortkommen:* existieren, sich aufhalten.

104,27 f. *Schäferstunde:* Lehnübersetzung von frz. *heure du berger* ›Liebesstunde‹; hier: besonders glückliche Stunde.

105,20 *Flor:* Trauerflor; von frz. *velours* ›dünnes Gewebe‹.

105,21 *Gemeines:* Alltägliches, Gewöhnliches.

106,17 f. *Die zärtliche Nerve ... fest:* Die zarten Nerven halten (unmenschlichen) Freveltaten stand.

107,12 *gichterisch:* krampfhaft.

107,18 *O des kläglichen Mißverstands:* O welch ein beklagenswertes Mißverständnis.

107,40 *Würger:* der Tod.

108,10 *den Brief:* den Miller von Ferdinand überbracht hat.

108,20 *Finte:* ital. *finta* ›List, Täuschung‹.

108,23 *hölzerne Puppe:* der Hofmarschall.

108,30 *ein anderer rechten:* Gott wird über Luise Recht sprechen.

109,27 *Schlangenrat:* Anspielung auf 1. Mose 3.

109,28 *Ich wasche die Hände:* vgl. Mt. 27,24.

109,31 *sich ... danken:* sich bedanken.

109,36 *Ruft Mord:* Ruft ›Mord!‹«.

110,5 *kitzeln:* ergötzen.

110,15 *meine fürchterliche Erkenntlichkeit:* mein schrecklicher Dank.

110,16 *Altar:* auf dem der über den Tod hinaus dauernden Liebe ein Opfer gebracht wird.

NACHBEMERKUNG

Die Arbeit an *Kabale und Liebe* begann Schiller 1782 in Oggersheim, wo er mit seinem Freunde Andreas Streicher nach der Flucht aus Stuttgart Aufenthalt genommen hatte. Als der Dichter im Dezember des gleichen Jahres nach Bauerbach auf das Gut der Frau von Wolzogen übersiedelte, nahm er das angefangene Werk mit und schloß es Mitte Februar 1783 ab. Ende April und Anfang Mai nahm er es jedoch wieder vor, um Änderungswünschen zu entsprechen, die v. Dalberg, der Intendant des Mannheimer Nationaltheaters, für die Bühnenaufführung geäußert hatte.

Mag Schiller auch von Gedanken Rousseaus (*Neue Héloise*, 1761) und von Lessings *Emilia Galotti* (1772) Anregungen empfangen haben, so beruht *Luise Millerin*, wie er das Stück damals noch nannte, doch ganz auf seiner eigenen Erfindung. Es ist mit entstanden aus der Empörung gegen den Herzog Karl Eugen und aus der tiefen Einsicht in die Unmoral vieler Regenten seiner Zeit. Das Bewußtsein der Kluft zwischen Adel und Bürgertum wurde dem Dichter gerade damals durch eine Neigung zu Lotte von Wolzogen schmerzlich eingeprägt. All dies verlieh ihm die Sprache zu diesem Stück, dem ersten sozialen Drama der deutschen Literatur.

Nachdem schon am 15. April 1784 die Uraufführung des Stückes in Frankfurt stattgefunden hatte, wurde es unter dem zugkräftigeren Titel *Kabale und Liebe*, den der Schauspieler Iffland vorgeschlagen hatte, am 17. April 1784 am Nationaltheater Mannheim in Anwesenheit des Dichters aufgeführt. Nach Streichers Bericht erhoben sich nach dem zweiten Akt alle Zuschauer von den Sitzen und brachen in stürmisches Beifallrufen aus.

Kabale und Liebe eroberte sich rasch die Bühne. In Berlin wurde das Stück 1784 in einem Monat sieben Mal gespielt. In Stuttgart blieb es auf Befehl des Herzogs verboten.

Im Druck erschien *Kabale und Liebe* zur Ostermesse 1784 in der Schwan'schen Hofbuchhandlung in Mannheim. Eine englische Übersetzung kam 1795 heraus, eine französische folgte im Jahre 1799.